PROFIL D'UNE

Collection dirigée par Georges Déc

L'ÉCOLE DES FEMMES

Sommaire

ISSN 0750-2516 ISBN 2-218-**06873**-7

Introduction

Au « hit-parade » des écrivains français, sondages et enquêtes montrent régulièrement que Molière occupe tantôt la première, tantôt la seconde place[1]. Plus de trois siècles après sa mort, par un miracle unique, il réussit à faire rire les foules mieux que n'importe quel auteur moderne. Aux yeux de la jeunesse en particulier, sa force comique semble restée intacte. Mais la pièce préférée des jeunes est incontestablement *l'École des Femmes*. Pourquoi ?

La plus jeune des pièces de Molière...

C'est une pièce qui ne connaît aucun temps mort, aucun moment d'ennui, au contraire, par exemple, du *Misanthrope* ou de *Tartuffe*. On peut même dire que c'est la seule à laquelle le temps n'ait pas donné la moindre ride.

On y trouve d'abord ce qu'on peut appeler l'allégresse du premier chef-d'œuvre, telle qu'on la voyait déjà dans *le Cid* de Corneille en 1636.

Si Molière lui-même n'est pas tout jeune au moment où il l'écrit (quarante ans), son récent mariage avec Armande Béjart (qui n'en a pas plus de dix-huit) lui a donné une nouvelle jeunesse. On a pu qualifier à juste titre *l'École des Femmes* de « pièce de lune de miel ».

Avec le personnage d'Agnès, Molière introduit la jeune fille dans la littérature française, et la jeune fille dans tout l'éclat de sa fraîcheur rayonnante. Par elle (et aussi par Horace, son amoureux), il exprime sa propre joie de vivre, ses élans vers la jeunesse et le bonheur.

1. Avec Victor Hugo, devant La Fontaine, Balzac et Zola.

Enfin, *l'École des Femmes* marque aussi l'avènement d'un genre littéraire qui sortait à peine de l'enfance : la comédie. On peut être sensible encore aujourd'hui à une telle nouveauté.

... et longtemps la plus controversée

Il y a une vingtaine d'années seulement, alors qu'on s'accordait à reconnaître dans *l'École des Femmes* un des chefs-d'œuvre de Molière, on ne la faisait guère étudier dans les lycées. Le thème même de la pièce (l'autorité maritale et masculine bafouée et ridiculisée), la hardiesse des problèmes soulevés, la verdeur des propos effarouchaient encore. Aujourd'hui les questions de l'éducation des filles et de la condition des femmes sont devenues moins épineuses, et on aborde plus ouvertement les éternels problèmes du couple, des rapports entre les sexes, de l'émancipation des femmes, de l'initiation des jeunes à la vie et à l'amour (qui déborde largement la simple éducation sexuelle). Tous problèmes posés dès 1662 par Molière dans *l'École des Femmes.*

Molière n'y partait-il pas déjà en guerre contre toutes les forces conservatrices propres à paralyser l'élan d'une nouvelle société ? Les représentations ne tardèrent pas à déclencher une véritable tempête : les dévots se déchaînèrent. Molière dut et sut se défendre vigoureusement en écrivant *la Critique de l'École des Femmes.* Chacune des pièces suivantes *(Tartuffe, Dom Juan, le Misanthrope)* allait se jouer comme une bataille.

Peu d'œuvres littéraires ont été, jusqu'à nos jours, aussi passionnément et âprement contestées et controversées. C'est autant par les débats qu'elle suscita que par sa valeur propre que, d'emblée, *l'École des Femmes* établit la gloire de Molière.

Derrière les murs de cette maison rouge où son jaloux prétend l'enfermer, la jeune Agnès, assise, son ouvrage à la main, entre son valet et sa servante, n'a pas fini de nous livrer son mystère. De cette féminité naissante, si désarmée en apparence, quelle image fascinante, inquiétante, Molière nous a proposée !...

1 Molière et « l'École des Femmes »

Comme Corneille avec *le Cid* et Racine avec *Andromaque*, on peut dire qu'avec *l'École des Femmes* Molière fait dans la littérature une entrée éclatante. Pour lui, l'année 1662 est une année heureuse, sans doute la plus heureuse de son existence : à la fois l'année de son mariage et de sa consécration comme grand écrivain.

LE BONHEUR AU THÉÂTRE

Chacun sait quelle vie a menée Molière (né, rappelons-le, en 1622) jusqu'en 1658 : celle d'un comédien errant, proche des héros du *Roman comique* de Scarron ou du *Capitaine Fracasse* de Théophile Gautier : les représentations plus ou moins improvisées, les tréteaux plantés de villes en villages, de cours de fermes en cours de châteaux, les tracasseries des autorités civiles et religieuses, les soucis d'argent[1]...

A l'époque (du moins jusqu'en 1655, où il joua à Lyon sa première pièce, *l'Étourdi*), il ne se proposait nullement de devenir écrivain : il lui suffisait bien d'être à la fois directeur de troupe, metteur en scène et interprète. C'est à force de jouer les pièces des autres, souvent médiocres, qu'il a fini par mettre la main à la plume.

1. Voir sur toute cette période de la vie de Molière le film d'Ariane Mnouchkine, *Molière ou la vie d'un honnête homme* (1978).

En juillet 1658, Molière, qui a obtenu la protection de Monsieur, frère du roi, a réussi à installer sa troupe à Paris, d'abord dans une simple salle de jeu de paume, puis, sur l'intervention même du roi, dans la vaste salle du Petit-Bourbon, annexe du palais du Louvre, servant de salle des fêtes. Il y faisait d'abord applaudir une tragédie, le plus souvent de Corneille, et terminait la représentation par un « petit divertissement » à sa manière, propre à déchaîner les rires. Or, le 18 novembre 1659, un de ces divertissements, qui accompagnait une reprise de *Cinna*, obtenait un succès assez inattendu, qui se mua bientôt en véritable triomphe : il s'agissait des *Précieuses ridicules.* En janvier 1660, cédant aux sollicitations, Molière faisait imprimer sa pièce : d'acteur il devenait auteur à part entière. Puis, en mai 1660, il écrivait et jouait *Sganarelle ou le Cocu imaginaire*, y créant le personnage aux moustaches tombantes qui allait faire sa célébrité.

Là-dessus, la salle du Petit-Bourbon devant être démolie (pour permettre l'édification de *la Colonnade du Louvre*), Monsieur obtenait pour son protégé la magnifique salle du *Palais-Royal.* Pour inaugurer dignement ce nouveau théâtre, Molière voulut frapper un grand coup en donnant une pièce beaucoup plus ambitieuse : *Dom Garcie de Navarre.* Certes, ce fut un échec, mais dont il sut rapidement se relever grâce à *l'École des Maris*, en juin 1661. Molière dut promener sa pièce partout, chez le roi, chez Monsieur, chez le surintendant Fouquet qui lui fit un triomphe en son château de Vaux. Dans ce même lieu (juste avant la disgrâce de son fastueux propriétaire), en présence du roi, Molière donnait, le 15 août, la première représentation de sa première comédie-ballet, *les Fâcheux.* Le succès de la pièce allait se prolonger sans interruption à Paris jusqu'en janvier 1662. Après quoi Molière attendit le 26 décembre pour monter sa « septième pièce nouvelle » : c'était *l'École des Femmes* qui devait être jouée presque sans interruption jusqu'en juillet 1663. Définitive consécration pour un homme de théâtre heureux.

BONHEUR INTIME

Un bonheur ne venant jamais seul, Molière s'est marié le 22 février : en présence de tous les acteurs de sa troupe, il a épousé Armande Béjart. Au bonheur de l'homme de théâtre, que ses succès pouvaient légitimement griser, s'ajoutait donc, en cette année 1662, le bonheur de l'homme privé.

Armande était-elle la très jeune sœur ou la fille de Madeleine Béjart (née en 1618) avec laquelle Molière avait fondé *l'Illustre Théâtre* ? Érudits et amateurs d'alcôves se sont penchés à l'envi sur le mystère de sa naissance. Avait-elle seize ou dix-huit ans lorsque Molière (qui en avait quarante) l'épousa ? Il l'avait connue toute petite, l'avait fait sauter sur ses genoux, puis il l'avait vue grandir, devenir jeune fille, comme Arnolphe, Agnès.

Là s'arrête la comparaison. Enfant de la balle, Armande avait été élevée dans ce milieu fort libre. C'est pour elle que Molière avait déjà écrit son *École des Maris*, où l'on voit Ariste, pourtant quinquagénaire, s'assurer la tendresse de la jeune Léonor, à force de gentillesse et de compréhension. Les relations d'Ariste et de Léonor pouvaient préfigurer les relations idéales que Molière se proposait et proposait à sa future épouse. *L'École des Maris* a pu être à juste titre qualifiée de pièce de fiançailles.

Quant à *l'École des Femmes*, on n'a pas manqué d'y trouver des ressemblances entre son sujet et la vie conjugale de Molière. La différence d'âge pouvait certes justifier certaines préoccupations de l'auteur. Mais il eût, en se peignant sous les traits d'Arnolphe, donné une bien fâcheuse image de lui-même. Et il eût manqué aux règles les plus élémentaires de la bienséance, exigées par l'idéal classique, en faisant du théâtre le lieu de ses confidences personnelles.

Surtout, une fois marié, Molière s'applique à vivre avec Armande ces rapports de liberté qui doivent, selon lui, s'établir entre mari et femme dans un climat de mutuelle confiance. Pour lui, cette existence nouvelle est un enchantement : Armande semble se parer pour son mari de toutes les grâces possibles. De larges recettes sont assurées à la troupe grâce au succès de *l'Ecole des Maris* et des *Fâcheux*, en attendant celui de *l'École des Femmes*. Pour la première fois de sa vie, la nécessité ne talonne plus Molière, qui peut se montrer généreux pour Armande, la comblant d'attentions et de cadeaux. Le jeune ménage s'est installé — et l'on devine ce que peut constituer pour ce nomade une telle installation — à proximité du Louvre et se plaît à mener une vie large, sinon fastueuse. Molière aime recevoir ses amis, donner à souper après le théâtre, répondre aux invitations de ses admirateurs. Mais il sait aussi préserver les premiers mois de sa vie conjugale.

LES PROMESSES DE L'AVENIR

On peut imaginer Molière écrivant sans hâte sa nouvelle pièce, dont le thème, si conforme à sa propre situation, l'enchante. N'est-elle pas un éclatant hommage rendu à la femme, en même temps qu'un plaidoyer chaleureux pour son droit au bonheur ? Pendant ce temps, Armande se prépare avec application à son métier de comédienne : il ne lui a pas encore réservé de rôle dans sa pièce.

En 1662, Molière n'est pas encore l'homme pressé, débordé, dont la postérité a gardé l'image, et qu'il sera effectivement dans les dix fébriles années qu'il lui reste à vivre. Mais ce qu'on trouve déjà en lui, c'est le « battant » décidé à s'imposer. Il se sait doué d'une bonne santé, d'une résistance exceptionnelle et, de plus, il est de plain-pied avec une époque dynamique et sûre d'elle, dont il exprime, même sans en être pleinement conscient, les goûts et les aspirations.

Pour lui, ce qui importe avant tout, c'est de plaire, mais de plaire sans bassesse et sans concession. Il peut savourer, en particulier, la joie bien légitime de plaire à son roi, dont la protection lui est pleinement acquise (on sait que Louis XIV sera le parrain de son premier fils). Au cours de cette année 1662, à plusieurs reprises, sa troupe a été requise à Saint-Germain-en-Laye, où le souverain venait se reposer. Que représentait ce dernier pour Molière, sinon « l'amour de la réussite permise et promise, la joie de pouvoir donner librement carrière à son activité[1] » ? Autrement dit, la joie d'écrire son *École des Femmes*.

La vie sourit donc à Molière. Il a quarante ans, l'âge où l'on commence à apprécier à leur juste valeur les sourires et les promesses de la vie. Et il se sent maintenant en pleine possession de son génie.

UN GÉNIE QUI TROUVE SA VOIE

C'est sur les planches que s'est formé son génie théâtral, en même temps qu'il s'est nourri de ce que pouvaient lui fournir treize années d'errance à travers le royaume et des milliers de représentations face aux publics les plus divers. Au cours de ses tournées en province, il arrivait à Molière de jouer quelques farces de sa composition, mais ce n'étaient, littérairement, que des canevas sur lesquels lui-même et sa troupe brodaient en toute liberté. L'essentiel du spectacle consistait dans la représentation d'une tragédie (de préférence de Corneille). Dès le début, Molière avait marqué une nette prédilection pour les rôles tragiques ou héroïques. C'est dans l'habit du César de *la Mort de Pompée* (héros cornélien) qu'il a posé pour le célèbre tableau de Mignard.

Entre 1655 et 1662, on peut voir se développer progressivement le génie de Molière, non sans tâtonnements et erreurs d'appréciation. Avec *l'Étourdi* (1655) et *le Dépit amoureux* (1656), il s'essaye à la comédie d'intrigue, mais ne persévère pas dans cette voie. Il attend d'être installé à Paris pour donner ses *Précieuses ridicules* (1659). On y sent déjà — d'où le succès obtenu — la volonté de s'élever au-dessus de la pure et simple farce : en publiant le texte, il lui donne le titre de « comédie », qui trahit déjà une certaine ambition. Molière transforme les gesticulations gratuites de la farce en mouvements révélateurs des caractères.

Avec *Sganarelle ou le Cocu imaginaire*, Molière

1. Ramon Fernandez, *Vie de Molière,* p. 116 (N.R.F., 1929).

perfectionne encore sa farce : le comique gagne en profondeur et a parfois de douloureuses résonances[1]. Mais ce n'est encore qu'une petite pièce en un acte. En revanche, il ne désespère pas d'être un jour un nouveau Corneille. Avec *Dom Garcie de Navarre*, il tente son ultime chance de s'imposer dans le genre sérieux : hélas, cette « comédie héroïque » essuie un échec cuisant.

La pièce suivante, *l'École des Maris*, se présente sous l'aspect inhabituel d'une comédie en trois actes en vers, donc intermédiaire entre la farce et la grande comédie en cinq actes. L'intrigue se réduit encore à un mauvais tour joué à un personnage ridicule, mais le thème annonce directement celui de *l'École des Femmes*. Sganarelle est (comme Arnolphe) un homme qui a peine à suivre l'évolution des mœurs et observe avec indignation le développement du goût de la liberté chez les femmes. Il prétend néanmoins épouser la jeune Isabelle sans s'inquiéter de ses inclinations et en la surveillant étroitement. Mais celle-ci, quoique sans expérience et confinée au logis, trouve le moyen de le tromper avec un jeune galant.

Le comique de cette pièce reste léger : aucune âpreté. La psychologie des personnages n'évolue guère : on est loin encore de la complexité d'Arnolphe et d'Agnès. Mais la rigueur de la progression dramatique témoigne de nets progrès. De plus, en tant qu'acteur, Molière, qui a banni les grimaces ne répondant à aucune nécessité, est devenu tout à fait maître de son jeu.

S'il se sent enfin les coudées franches à la fois comme auteur et comme acteur, c'est qu'il a fini par découvrir et surtout par admettre sa véritable vocation. Il était jusque-là un comique contrarié (comme on parle d'un gaucher contrarié). Lui qui, par ses grands rôles tragiques ou héroïques, avait voulu forcer l'admiration de ses contemporains, allait mettre entièrement au service de la comédie, à partir de *l'École des Femmes*, des dons incontestablement comiques. Bon gré mal gré, Molière était condamné à son génie comique.

1. Selon Antoine Adam, « Sganarelle sera bientôt Arnolphe, et bientôt Alceste lui-même » (*Histoire de la littérature française au XVIIe siècle*, tome 3, Domat, 1949, p. 268).

2 « L'École des Femmes » dans son contexte historique et littéraire

L'École des Femmes, si elle représente un moment capital dans le développement du génie et de la carrière de Molière, se présente aussi comme l'expression de tout un contexte qu'on qualifierait aujourd'hui de socio-culturel.

UNE POLITIQUE NOUVELLE

En 1659, la paix des Pyrénées a mis fin à une guerre accablante avec l'Espagne et apporté au jeune roi Louis XIV (âgé seulement de vingt-et-un ans) une épouse du même âge et point trop laide. Aucune nation ne semble plus en mesure de devoir inquiéter la France avant longtemps.

Louis XIV manifeste son pouvoir souverain[1]. Il affirme aussitôt son intention de faire de son règne le plus grand des temps modernes : il sera le Roi-Soleil.

L'un de ses principaux soucis est d'encourager les arts et les lettres dans lesquels il voit, comme Auguste, l'empereur romain, les meilleurs instruments de sa gloire. Dès 1661, l'édification du château de Versailles donne à de nombreux artistes l'occasion d'exprimer leur talent. Le ministre Colbert s'applique à faire des arts et lettres une sorte de service public consacré à la célébration de la grandeur de la France et de son souverain.

1. Voir le film de R. Rossellini, *la Prise du pouvoir par Louis XIV.*

Ainsi commence une période de notre histoire non seulement remarquablement stable, mais chargée d'événements de toutes sortes, politiques, religieux, culturels : période qu'il est convenu d'appeler « le siècle de Louis XIV », bien qu'elle n'ait guère duré qu'une trentaine d'années.

UNE NOUVELLE SOCIÉTÉ

Il semblait alors, selon le mot de Michelet, que « toute la France dût rajeunir ». Triomphante chez Molière, la jeunesse triomphe d'abord dans la personne même du roi. Par sa prestance, son adresse physique, ce souverain de vingt-quatre ans s'impose à tous. Le peuple, épuisé et excédé par vingt années de crise (en particulier les troubles de la Fronde), place en lui son plus grand espoir de soulagement. C'est comme si la France se reconnaissait et s'admirait en sa personne : elle lui sait gré d'être beau, jeune, résolu, d'avoir le goût de la grandeur et de la gloire. Elle lui pardonne bien volontiers un autre goût, celui des jupons et des fastes.

En 1662, en effet, délaissant sa jeune femme enceinte, Louis XIV affiche d'autres amours : Louise de la Vallière, âgée de dix-sept ans seulement (tout juste l'âge d'Agnès), fort jolie, fort aimable, quoique légèrement boiteuse, est devenue sa maîtresse en titre. C'est une fille toute nature et toute passion. Elle est demoiselle d'honneur d'une autre jeune personne, Henriette d'Angleterre, la belle-sœur du roi, la femme de Monsieur, autrement dit Madame. Cette dernière, également jolie, coquette, libre d'allures, donne le ton à « la jeune cour », que l'on oppose à « la vieille cour », dévote et sévère, groupée autour de la reine mère Anne d'Autriche. C'est à cette jeune princesse, qui symbolise très bien l'aurore du nouveau règne, que Molière dédie son *École des Femmes*[1].

1. C'est à elle aussi que, cinq ans plus tard, Racine dédiera son premier chef-d'œuvre : *Andromaque*.

UN GENRE LITTÉRAIRE NOUVEAU

Avec *l'École des Femmes*, naît un genre nouveau dans la littérature française, celui de la grande comédie à vocation comique, qui va s'arroger, sans coup férir, les lettres de noblesse dont Corneille a commencé à doter la tragédie. Si Molière établit ainsi, le premier, l'éminente dignité du genre comique, il le doit à une double raison :

— d'une part, il comble l'attente du public en consacrant un genre jusque-là réputé bas (sous la forme de la farce) ou, du moins, mineur (sous la forme de la comédie d'intrigue) ;

— d'autre part, il a le champ entièrement libre : aucun chef-d'œuvre avant *l'École des Femmes* ne peut lui donner la tentation de rivaliser avec lui.

En revanche, il est d'autant plus difficile à Molière de trouver la voie la mieux adaptée à son génie.

• *La farce*

Dans la préface de sa comédie *les Véritables Précieuses* (1660), Somaize qualifie encore Molière de « premier farceur de France ». La farce n'a pas de prétention littéraire, son écriture est avant tout scénique. Le plus souvent, l'intrigue repose sur un mauvais tour (autrement dit une farce) dont est victime un personnage grotesque, barbon amoureux, mari tyrannique... Le thème à succès, conforme à la veine gauloise du Moyen Age, en est, par excellence, celui des inconvénients du mariage. Le sujet même de *l'École des Femmes* est donc directement hérité de la farce.

• *La comédie d'intrigue*

A la farce, souvent réduite à un simple canevas, on oppose la comédie d'intrigue. Ce qui domine en elle, c'est une action, le plus souvent compliquée et abondant en péripéties, enlèvements, déguisements, méprises, le tout relevant du hasard beaucoup plus que de la nécessité dramatique. Elle ne vise guère à la représentation ni à la critique des mœurs, et les personnages en sont souvent aussi pauvres et stéréotypés que dans la farce. Ce qu'on attend d'elle, c'est un certain enjouement, un brio essentiellement issu de la conversation des personnages, de leurs railleries et traits d'esprit. Le modèle du genre est *le Menteur*, de Corneille (1643). Avec *l'Étourdi* et *le Dépit amoureux*, Molière s'y était essayé en province. Les deux pièces sacrifiaient, non sans invraisemblance, aux pires conventions du romanesque : travestis, imbroglios. La psychologie restait sommaire et statique. L'intérêt principal résidait dans le mouvement, allègrement mené.

• *Une synthèse originale*

C'est en se dégageant simultanément et progressivement des facilités de la farce et des facilités de la comédie d'intrigue, tout en réunissant leurs éléments jusque-là rigoureusement séparés, que Molière devait trouver, en même temps que sa voie propre, celle de la *vraie* comédie, qui est expression de la vie. La grande nouveauté de *l'École des Femmes*, c'est d'être, dans notre littérature, la première comédie en cinq actes et en vers conçue pour déchaîner le rire d'un vaste public (et non pas seulement, comme dans la comédie d'intrigue, pour provoquer le sourire entendu de quelques connaisseurs).

Tel est le principe sur lequel va reposer maintenant toute grande comédie (et pas seulement de Molière) : non plus faire rire par les effets grossiers et les mimiques de la farce, ni gentiment amuser par l'imbroglio de l'intrigue et l'enjouement du ton, mais provoquer un comique plus profond en soulignant et dénonçant les vices et les travers des hommes.

Il n'est donc pas exagéré d'affirmer que, pour ces raisons, l'année 1662 est une des plus importantes de l'histoire de notre littérature, et cela d'autant plus que, dans *l'École des Femmes*, se trouve déjà tout Molière.

3 Le grand débat de mariage et d'amour au temps de Molière

Ce n'est sans doute pas par hasard que le premier chef-d'œuvre de Molière se trouve être *l'École des Femmes.* Cette comédie exprimait une préoccupation dont l'importance était réelle pour les gens de l'époque. Molière intervenait directement dans le débat de la question féminine pour lequel le XVIIe siècle n'a cessé de se passionner sous son aspect à la fois religieux, moral et social.

DU MARIAGE

La fin du XVIe et le début du XVIIe siècle ont vu la victoire de ce qu'il est convenu d'appeler « l'esprit gaulois » sur l'amour courtois célébré à la fin du Moyen Âge et à l'époque de la Renaissance. Cet esprit gaulois, c'est déjà celui des contes, farces et fabliaux qui célébraient des jouissances physiques immédiates et non d'impossibles passions. Il était le reflet d'une certaine société virile où la femme était essentiellement conçue comme destinée au bon plaisir de l'homme.

L'institution principale en était le mariage, qui ne reposait aucunement sur la persuasion et la séduction (comportement réservé à des « marginaux » tels que Dom Juan), mais uniquement sur la puissance et l'autorité. Le mariage ainsi conçu excluait chez l'épouse toute inclination, réelle ou supposée. Quant à l'homme, il n'aspirait guère qu'à la simple satisfaction de ses penchants sensuels. Être amoureux de sa femme était du dernier ridicule : l'amour conjugal apparaissait comme un sentiment choquant, pour ne pas dire honteux[1]. Les seules manières qui convenaient à un mari étaient moins de tendresse et d'amabilité que de brutalité possessive. Les promesses de démonstrations amoureuses d'un Arnolphe (v. 295 et 1595) en disent long là-dessus.

Le sort commun des filles, dans les différents milieux sociaux, était d'être purement et simplement livrées à un homme, au terme de laborieux marchandages entre les pères : c'est ainsi que, dans la pièce, Enrique et Oronte ont prévu le mariage de leurs enfants (qui se révèleront être Agnès et Horace). Avant d'être un sacrement, le mariage était un contrat où le notaire jouait un rôle essentiel, comme en témoigne aussi *l'École des Femmes*.

Promises parfois dès l'enfance, les filles pouvaient être mariées à douze ans, mêmes si ces mariages prématurés n'étaient pas immédiatement consommés. Combien de pères, pour des motifs d'intérêt ou de pure vanité, n'hésitaient pas à marier leurs filles à des vieillards ou des dégénérés ! Mme de Sévigné dans ses *Lettres* et Tallemant des Réaux dans ses *Historiettes* en donnent maints exemples scabreux.

C'est pourquoi la jeune fille[2] n'a pas, à proprement parler, droit à l'existence. Elle ne commencera guère à exister qu'à partir du XVIIIe siècle, du fait du retard du mariage, quand se sera écoulé un laps de temps suffisant entre ce dernier et la puberté. En tendant à devenir une personne, elle deviendra aussi un personnage : Agnès aura toute une postérité, d'abord chez Molière lui-même, ensuite chez Marivaux, Beaumarchais, Musset... Les fantasmes masculins s'alimenteront de plus en plus de cette féminité juvénile.

1. Dans *la Princesse de Clèves,* le célèbre roman de Mme de La Fayette, le prince n'avoue qu'à sa mort la passion qu'il avait pour sa femme : il aurait craint de perdre son estime par des manières tenues pour incongrues.
2. On dit alors plus volontiers *pucelle.*

Pour l'homme, mais aussi pour la femme, se marier, c'était, avant tout, s'établir. Les principaux devoirs de l'épouse consistent à tenir le ménage de son mari et à lui donner des enfants pour assurer la descendance. La femme du XVIIe siècle est constamment enceinte, car il faut compter avec le taux élevé de la mortalité infantile. A une époque où il n'est guère question d'avortement et encore moins de contraception, les deux fonctions, sexuelle et reproductive, sont indissociables. On comprend la réflexion désabusée de Mme de Maintenon : « Le mariage est un état qui fait le malheur des trois quarts du genre humain. »

La femme mariée est souvent coupée du monde. Son mari peut la battre, surveiller ses relations, sa correspondance. Les *Maximes du mariage* qu'Arnolphe fait lire à Agnès ne sont pas l'invention d'un misogyne délirant, mais l'expression d'une triste réalité. La quenouille, le lit, le coffre à provisions, tel est le raccourci que Michelet donne de la condition féminine à l'époque [1].

Pourtant, il faut reconnaître que les filles se rebellent rarement contre de telles perspectives : elles acceptent sans sourciller le prétendant qui leur a été choisi. La plupart, même, semblent plutôt contentes, voire impatientes, de se marier, comme en témoigne une chanson de l'époque : « J'ai quinze ans, ma mère, / j'ai quinze ans passés, / vous ne songez guère / à me marier. » Agnès elle-même est très excitée à l'idée qu'elle sera mariée « dès ce soir ».

Il est vrai que c'était le mariage ou le couvent. Il arrivait que les filles fussent enfermées à perpétuité dans un couvent, quand les parents voulaient réserver tout leur patrimoine aux enfants mâles ou à l'une des sœurs pour lui faire conclure un mariage plus brillant. « Ou vous serez mariées toutes deux avant qu'il soit peu ou, ma foi, vous serez religieuses. » Telle est la menace adressée aux deux Précieuses par leur père et oncle Gorgibus.

La plupart des filles pauvres, même d'un certain rang,

1. Kinder, Kirche, Küche, diront les Allemands.

étaient immariables. Le « sans dot » de *l'Avare* était moins comique qu'on peut le penser. Or la femme célibataire ne jouissait d'aucune indépendance réelle ni surtout d'aucun prestige : on la désignait par le terme désobligeant de vieille fille [1]. Seule la veuve, si elle était jeune et jolie (et c'était souvent le cas, étant donné les différences d'âge), pouvait jouir de son indépendance et de son crédit. Ainsi *la Jeune Veuve*, de la fable de La Fontaine, et la Célimène du *Misanthrope*.

DE L'ÉDUCATION DES FILLES

Le mariage d'un Arnolphe et d'une Agnès était monnaie courante dans la société du temps. Les maris pensaient avoir tout intérêt à épouser des filles sottes et naïves, donc très jeunes, qu'ils pourraient plus facilement tenir en main. Tout le secret de l'éducation qui leur était donnée consistait donc dans la sauvegarde d'une innocence et d'une ignorance qu'on aimait à qualifier de délicieuses. Les deux soucis majeurs étaient, plus concrètement, la préservation de la virginité et la préparation à l'état conjugal.

C'étaient les communautés religieuses qui se voyaient chargées d'un tel programme. La fille y recevait une éducation qui devait d'abord lui fermer les yeux sur la réalité. Tout y était orienté, de façon répétitive et presque obsessionnelle, vers la maîtrise de son corps et la domination de ses sens. Enfermée, tenue à l'écart du monde, elle passait sa scolarité en exercices de piété, quelques travaux d'aiguille et des lectures étroitement surveillées. Sachant tout juste lire et écrire (comme Agnès), on l'estimait alors prête, sinon mûre, pour le mariage. Tout était ordonné pour faire de la future épouse un être soumis, passif, destiné à être l'auxiliaire, voire la servante de son mari, selon l'idéal de la société du temps. « Labeur assidu, soumission absolue », tel était le mot d'ordre.

Notons enfin la parfaite continuité entre le rôle joué

1. « Une vieille fille fait une vilaine figure dans le monde », écrit Furetière dans son célèbre *Dictionnaire* (1690).

par le père et le rôle joué par le mari. A l'autorité du premier devait succéder la puissance du second. La femme faisait partie du patrimoine de l'homme : elle était d'abord la propriété de son père, qui la mariait à son gré ; ensuite, rivée au foyer de l'époux, elle n'était plus que sa chose. Mariée ou encore fille, la femme était assimilée par la loi à l'enfant mineur et pouvait être traitée par son époux exactement comme par son père. Les maris pouvaient faire enfermer leur femme sans passer par les tribunaux. Arnolphe représente admirablement cette continuité entre le père et l'époux : il s'érige en père pour pouvoir être époux et menace, à ce double titre, Agnès d'un « cul de couvent ». Ce qui est le comble de l'impérialisme masculin.

DE L'ÉTERNEL FÉMININ ET DE LA TRADITION GAULOISE

Si naïve, si occupée et si bien surveillée que fût la femme, le mari n'était pas forcément à l'abri de toute infidélité, de tout écart de son épouse. D'abord, pour en avoir quelque satisfaction, il se devait de la « déniaiser », sans pour autant l'éduquer. Une fois les sens éveillés, l'esprit aussi peut sortir de sa léthargie. C'est le traditionnel thème gaulois du « comment l'esprit vient aux filles ». Prenant alors conscience de son état de dépendance, à défaut de secouer le joug, la femme peut chercher une compensation ou une consolation en cédant aux propos d'un homme plus habile ou plus séduisant. D'où les préoccupations de nombreux époux, qui trouvaient leur écho dans l'obsession d'Arnolphe. Comment exiger tendresse et fidélité d'une femme mariée contre son gré et asservie à de si dures lois ?

Un tel état de dépendance ne pouvait entraîner chez la femme qu'hypocrisie, ruse, tromperie. C'est ce dont le mari devait se prémunir à tout prix en faisant bonne garde. Si sa femme était infidèle, il n'avait que ce qu'il méritait, et l'opinion publique avait beau jeu de le brocarder, de le « tympaniser » (selon le mot d'Arnolphe). Libre à la ruse de défier la force, si celle-ci ne dispose que d'une fallacieuse autorité. C'est ce Arnolphe est persuadé : il se gausse des infor conjugales de ses compatriotes trop benêts ou insuffisamment précautionneux.

Il est curieux de constater que cette conception « gauloise » de la femme se trouve prolongée par la tradition chrétienne qui fait avant tout de celle-ci un objet de tentation. Telle est la thèse de l'Église, abondamment développée par les prédicateurs de l'époque : la chair est faible, la femme est faible. Bien plus, elle est coupable par définition, vouée par sa nature à la perfidie. « Femme, tu es la porte du diable » : ainsi la définit Tertullien, un des premiers docteurs de l'Église. Est-il besoin de se référer à la Genèse et de citer la conclusion de saint Paul dans son *Épître aux Corinthiens* ? « L'homme n'a pas été créé pour la femme, mais la femme pour l'homme. » En 1684, le jésuite Guilloré donnera dans sa *Retraite d'une Dame* une liste des péchés féminins assez proche de celle qu'en dresse Arnolphe : vanité des habits, dissipation du temps en bagatelles, curiosité malsaine... Arnolphe ne manquait certes pas de références religieuses pour rappeler que la femme n'est qu'« extravagance et indiscrétion », que « son esprit est méchant et son âme fragile », qu'« il n'y a rien de plus faible et de plus imbécile ».

DE L'ÉMANCIPATION DE LA FEMME ET DE LA RÉACTION PRÉCIEUSE

A cause des *Précieuses ridicules* et des *Femmes savantes,* on a voulu faire de Molière le pourfendeur des femmes instruites de son temps. Or il ne s'est moqué que de leurs outrances, qui seules étaient ridicules. En fait, une précieuse était une femme à qui son rang, sa fortune, souvent aussi son veuvage, permettaient d'être relativement libre, sans que cette liberté pût être tenue pour licence ; et qui voulait profiter de cette liberté pour affirmer et faire reconnaître par tous qu'une femme comme elle n'était pas un objet, mais avait sa valeur propre d'être humain, pouvant assurer personnellement et sous sa responsabilité sa vie et son salut.

Les précieuses s'insurgent avant tout contre la conception gauloise de la société et de la littérature, en particulier contre les grossièretés issues de l'influence des militaires sur les mœurs et le langage. Leur mouvement se présente aussi comme une protestation véhémente contre la servitude des femmes. On comprend qu'Arnolphe voie en elles ses bêtes noires, dans la mesure où il trouve chez ces « raisonneuses » et ces « coquettes » une menace d'émancipation pour la femme et un exemple déplorable pour Agnès.

La Préciosité apparaît comme un moment particulièrement important dans la grande « querelle (autrement dit débat) des femmes », commencée au XVe siècle avec Christine de Pisan et qui se poursuit encore de nos jours avec le M.L.F. Ce qu'elles affirment déjà, c'est la complète égalité qui doit se réaliser un jour entre l'homme et la femme.

Or, ainsi qu'Agnès le pressent et l'affirme (v. 1559), une telle égalité ne peut passer que par l'égalité du savoir, donc l'accession de la femme à une véritable instruction. Il faut en particulier se poser la question : si les femmes sont faibles, dissimulées, rusées, ne serait-ce pas plutôt la conséquence d'une éducation mal conçue au départ, qui les met en état d'infériorité par rapport à l'homme, que le fait d'une prétendue nature féminine, inchangée depuis la Genèse ? Arnolphe a donc bien raison de se méfier :

Moi, j'irais me charger d'une spirituelle[1]
Qui ne parlerait rien que cercle et que ruelle ?...
(v. 87-88)

L'École des Femmes s'inscrit donc fort bien dans la continuité de ce combat mené par les précieuses et leurs devancières (Louise Labé, Marie de Gournay...). La vraie question que pose Molière est celle qui passionnait une société nouvelle, de plus en plus ouverte aux aspirations proprement féministes : la femme est-elle destinée à rester un être essentiellement dépendant de l'homme ou peut-elle devenir, par son savoir, un être réellement libre ?

1. On dit aujourd'hui : intellectuelle.

Analyse de la pièce — 4

L'intrigue repose entièrement sur un quiproquo très simple, conséquence du double nom porté par Arnolphe (il se fait appeler M. de la Souche) ainsi que de son double domicile (le sien propre, et celui où il enferme Agnès), ce qui entretient jusqu'au bout la méprise de son rival étourdi qui le met dans la confidence de ses amours.

ACTE I

Tel est pris qui croyait prendre

• *Scène 1.* Le rideau se lève sur une conversation entre deux bourgeois d'une ville de province, qui s'entretiennent de la question du mariage, envisagée du seul point de vue masculin, autrement dit des risques du cocuage. Mais alors que l'un, Chrysalde, semble s'être fait là-dessus une sereine philosophie, l'autre, Arnolphe, ne veut pas qu'il soit dit qu'il puisse être un jour cocu. Résolu néanmoins à se marier pour ses commodités personnelles, il pense avoir pris toutes les précautions nécessaires pour éviter un si triste sort : celle qu'il doit épouser, Agnès, est toute jeunette (elle n'a que dix-sept ans, lui en a quarante-deux) ; il est devenu son tuteur alors qu'elle n'avait que quatre ans, et il l'a confiée à un couvent très retiré, prenant bien soin qu'on la laissât dans la plus complète ignorance des choses de la vie. Dès le soir même, il tient à présenter à son ami une telle « merveille ». De plus, il est si sûr de lui et de sa méthode qu'il prétend, par son exemple, donner une bonne leçon à tous les « cornards » de la ville. Arnolphe rappelle enfin à Chrysalde qu'il a changé d'identité et se fait appeler M. de la Souche.

• *Scène 2.* De retour au logis (après dix jours d'absence), Arnolphe est fort outrageusement accueilli par son valet et sa servante, qu'il a choisis à dessein tout benêts, afin qu'ils ne corrompent pas leur jeune maîtresse et rapportent fidèlement à leur maître tout ce qui se passe au logis.

• *Scène 3.* Arnolphe découvre avec satisfaction Agnès en train de coudre, toute sage et toute modeste. Il ne lui parle même pas de son projet de mariage (elle ne saurait avoir là-dessus un avis personnel) et se contente d'émettre quelques propos grivois qu'il est seul à pouvoir apprécier.

• *Scène 4.* Au moment où il se félicite encore du succès d'une politique si avisée, il tombe sur le jeune Horace, fils de son ami Oronte, qui vient de débarquer dans la ville. Il l'encourage, pour se distraire, à chercher de bonnes fortunes aux dépens des maris imprudents et lui propose même de l'argent pour faciliter ses conquêtes. Mais Horace lui apprend qu'il ne l'a pas attendu et qu'il a même déjà réussi à s'introduire auprès d'une jeune beauté, pupille d'un certain M. de la Souche, être tyrannique et ridicule. Arnolphe n'apprécie guère le piquant de la situation et a hâte de s'assurer de l'étendue des dégâts.

ACTE II

Arnolphe mène l'enquête

• *Scènes 1 à 4.* Dans un court monologue, il se montre résolu à pousser l'enquête jusqu'au bout, si cuisant qu'en puisse être pour lui le résultat. Mais son impatience le fait d'abord s'en prendre à ses domestiques qui, effarés par sa violence, sont incapables de lui fournir le moindre renseignement. Leur maître parti, Alain et Georgette se ressaisissent et font des gorges chaudes sur son étrange comportement qu'ils attribuent à la jalousie. Dans un autre court monologue, on voit Arnolphe s'efforcer de retrouver son calme avant de « confesser » Agnès.

• *Scène 5.* Avec un mélange de douceur persuasive et de ferme autorité, Arnolphe amène Agnès à lui raconter tout ce qui s'est passé entre elle et son jeune visiteur : n'y entendant pas malice, Agnès ne cache rien des travaux d'approche de son séducteur qui, du moins, n'a pas profité de la situation pour mettre à mal son innocence. Arnolphe, soulagé, mais inquiet pour la suite, ne voit d'autre solution que d'avancer le mariage au soir même. Agnès, qui n'a qu'Horace en tête et ne voit en Arnolphe rien d'autre qu'un tuteur, croit qu'il s'agit pour elle d'épouser le jeune homme et se montre pleine de reconnaissance pour Arnolphe qui l'amène à une vue plus réaliste de la situation en rompant brutalement le quiproquo.

ACTE III

Première défaite d'Arnolphe

• *Scènes 1 à 3.* Arnolphe a eu chaud, mais il pense avoir rétabli la situation à son profit. En effet, au cours de l'entracte, il a pu obtenir d'Agnès qu'elle jette une grosse pierre contre Horace revenu faire sa cour et il lui témoigne sa satisfaction. Puis il la prépare à l'état de mariage qui va être le sien, lui rappelant l'humble et servile condition de la femme, ses stricts devoirs envers son époux, et dressant un tableau terrifiant des conséquences morales et religieuses de l'infidélité conjugale. Pour clore l'entretien, il lui fait lire les *Maximes du mariage* : Agnès, après avoir écouté sans broncher le sermon d'Arnolphe, les lit sans émettre la moindre protestation. Arnolphe, qui croit avoir retrouvé tout son pouvoir sur sa pupille, se félicite à l'avance de ses projets matrimoniaux et lance maintenant un défi aux précieuses et autres féministes, tout en s'apprêtant à savourer la déconvenue de son jeune rival.

• *Scène 4.* Seconde rencontre d'Arnolphe et d'Horace, second récit d'Horace, seconde déconfiture d'Arnolphe. Horace, à la grande jubilation d'Arnolphe, reconnaît d'abord qu'il est arrivé quelque contrariété à ses amours : les domestiques lui ont barré le passage, puis Agnès l'a chassé en lui jetant une pierre. Mais ô miracle (Horace fait bouillir Arnolphe en retardant comme à plaisir cette incroyable révélation), la pierre était enveloppée dans une lettre, la plus tendre des lettres d'amour. Pendant qu'Horace s'extasie sur ce trait de génie amoureux —

dégageant ainsi la « morale » de la pièce — Arnolphe a toutes les peines du monde à cacher son dépit et sa fureur. Ce qui tout de même lui redonne quelque espoir, c'est qu'Horace lui avoue les obstacles matériels qui l'empêchent maintenant de parvenir jusqu'à Agnès : dans son embarras, il va jusqu'à demander conseil à Arnolphe !

• *Scène 5.* Troisième monologue d'Arnolphe, qui ne saurait désormais se satisfaire d'avantages purement matériels, car le geôlier découvre soudain qu'il est réellement devenu amoureux de sa pupille : la jalousie a servi de révélateur à cette passion toute nouvelle. Agnès cesse d'être seulement pour lui un objet dont il veut s'assurer la propriété. Grâce à l'intervention d'Horace, elle se révèle à lui comme un être humain à part entière, dont il voudrait obtenir l'amour. Là est la véritable défaite d'Arnolphe : sa souffrance ne sera plus seulement celle d'un propriétaire dépossédé.

ACTE IV

Aux grands maux les grands remèdes

• *Scène 1.* Quatrième monologue. Dans un dernier sursaut, Arnolphe refuse de s'avouer vaincu : il ne saurait perdre la face devant ce « godelureau ». Mais il reconnaît son impuissance à trouver le chemin du cœur d'Agnès, qui fait comme s'il n'existait pas.

• *Scènes 2 et 3.* Scènes de pure farce avec le notaire appelé pour dresser le contrat et qui croit que les propos d'Arnolphe s'adressent à lui, alors que ce dernier, soliloquant, continue d'exprimer son désespoir amoureux. Le notaire se montre fort dépité d'être si mal compris et si vertement congédié.

• *Scènes 4 et 5.* Arnolphe, qui redoute une tentative d'Horace, fait la leçon à ses domestiques : il transforme sa maison en camp retranché et impose à son valet et sa servante un véritable exercice d'entraînement, dont il est le premier à faire les frais. Ayant tout réglé dans les moindres détails, il peut attendre l'adversaire de pied ferme.

• *Scène 6.* Troisième rencontre avec Horace. Troisième récit de ce dernier qui, encore tout excité par l'aventure, raconte que c'est Agnès elle-même qui l'a fait secrètement entrer dans la maison et monter jusque dans sa chambre. Là-dessus, M. de la Souche a surgi, plein de courroux, bousculant tout sur son passage. Agnès n'a eu que le temps d'enfermer Horace dans une armoire et de lui donner un autre rendez-vous pour la nuit même.

• *Scènes 7 et 8.* Arnolphe est accablé par cette révélation et surtout par cette double initiative d'Agnès. C'est cette nuit que tout doit se jouer, mais une fois de plus le sort (ou plutôt l'étourderie d'Horace) donne à Arnolphe les moyens de rétablir la situation : il est décidé cette fois à recourir aux plus brutales extrémités pour empêcher Horace de « s'emparer du reste ». Au moment où il sort pour se détendre les nerfs à l'heure du souper, il tombe sur Chrysalde venu aux nouvelles (Arnolphe semble avoir oublié son invitation du matin). Chrysalde n'a guère de peine à comprendre pourquoi son ami l'envoie promener et s'applique à lui montrer le bon côté des infortunes conjugales. Mais Arnolphe refuse de se tenir pour battu et cocu.

• *Scène 9.* Il appelle à nouveau ses domestiques à la rescousse et dresse avec eux un dernier plan de bataille : quand le galant sera au sommet de l'échelle pour s'introduire de nuit chez Agnès, ils l'assommeront proprement. Cette fois, c'est l'ultime contre-offensive, mais, ainsi acculé, Arnolphe semble avoir retrouvé le moral.

ACTE V

Capitulation d'Arnolphe devant la jeunesse et l'amour

• *Scènes 1 à 3.* Arnolphe, à l'aube, est fort embarrassé : ses domestiques en ont trop fait. Horace, assommé, est resté étendu sans vie devant la maison. Mais, coup de théâtre, au moment où Arnolphe s'apprête à constater l'étendue du désastre, Horace surgit devant lui : il lui révèle que, étant tombé de l'échelle, il a fait le mort pour éviter d'autres coups. Pendant ce temps, Agnès, alarmée, a réussi à se sauver de la maison et a passé avec lui le reste de la nuit. Dernière ironie du sort, ou plutôt suprême étourderie d'Horace et ultime espoir de revanche pour Arnolphe : pour éviter de compromettre Agnès, Horace la lui confie en dépôt, en attendant de pouvoir l'épouser. Dans la semi-obscurité, Agnès, passant entre les mains d'Arnolphe, échange avec Horace un poétique et pathétique duo d'amour.

• *Scènes 4 et 5.* Arnolphe se fait brutalement reconnaître d'Agnès et éclate en reproches injurieux. Mais celle-ci lui tient tête avec la plus froide détermination : elle retourne comme en se jouant les pauvres arguments que lui oppose Arnolphe. Complètement décontenancé, ce dernier passe de la menace à la supplication et à l'humiliation grotesque. En fin de compte, elle sera enfermée dans un couvent. Agnès semble s'incliner devant la force; mais, moralement, Arnolphe est définitivement écrasé. Il donne, pour finir, les consignes nécessaires à ses domestiques.

• *Scène 6.* Quatrième rencontre d'Arnolphe et d'Horace. Le jeune homme apprend à Arnolphe l'arrivée de son père Oronte, qui a décidé de le marier avec la fille d'un certain Enrique, revenu en France après une longue absence. Le pauvre amoureux implore le secours de son confident, qui lui promet ironiquement de l'aider.

• *Scènes 7 et 8.* Arnolphe raille cruellement le désespoir d'Horace, qui a enfin la révélation que M. de la Souche et lui ne font qu'un. Il se dispose à emmener sa pupille, quand il apprend qu'Agnès est justement la fille d'Enrique, destinée à Horace par son père. Forcé de s'expatrier, ce dernier avait confié la petite fille à une pauvre paysanne, que la misère avait contrainte de la vendre à Arnolphe. Tout est donc bien qui finit bien : grâce au hasard secourable, l'amour et la jeunesse triomphent de l'égoïsme luxurieux. Il était temps : Agnès menaçait de se jeter par la fenêtre.

5 L'organisation de « l'École des Femmes »

L'UNITÉ D'ACTION

Toute pièce classique trouve son unité autour d'une intrigue centrale que le spectateur ne doit perdre de vue à aucun moment : c'est l'unité d'action. De ce seul point de vue, *l'École des Femmes* peut être considérée comme la première grande comédie classique.

La pièce met en scène un tuteur abusif et tyrannique aux prises avec sa pupille qui défend obstinément son droit au bonheur. Ce sont les déconvenues successives du premier qui constituent la trame de la pièce, créant à chaque fois un rebondissement nouveau. Cet homme mûr, qui croit avoir découvert une méthode infaillible pour devenir un mari tranquille et comblé, se voit sans cesse tenu en échec par les initiatives de plus en plus hardies de la jeune fille, à qui l'amour donne toujours davantage d'esprit et d'assurance. Toutes les péripéties de l'action tendent au même but : montrer que cet homme si averti et si sûr de lui, qui croit avoir tous les atouts dans son jeu, et n'a pour adversaires qu'une jeune fille naïve et un jeune écervelé, se voit à chaque fois bafoué et confondu.

L'unité d'action repose plus particulièrement sur les perpétuelles confidences d'Horace à Arnolphe. Ces confidences, qui devraient à chaque fois compromettre la situation du jeune homme (et celle d'Agnès) en même temps que permettre à Arnolphe de rétablir la sienne, réduisent, en fait, ce dernier à l'impuissance en l'empêchant de se démasquer. L'unité d'action conduit donc à l'unité scénique, qui se fait autour du jeu d'Arnolphe, de ses mimiques, de ses grimaces. On le voit d'acte en acte plus nerveux et plus suffocant. Molière lui-même a souligné l'unité de sa pièce dans sa *Critique de l'École des Femmes* (scène 6) : « Ce qui me paraît plaisant, c'est qu'un homme qui a de l'esprit et qui est averti de tout par une innocente et par un étourdi, ne puisse avec cela éviter ce qui lui arrive. »

L'unité d'action repose aussi sur l'unité et l'évolution des caractères. C'est dans la mesure où Arnolphe cesse peu à peu de voir en Agnès une innocente irresponsable et lui découvre une personnalité autonome, qu'il sent se développer pour elle, au fond de lui-même, une insurmontable passion. L'évolution du troisième personnage, Horace, est parallèle à celle des deux premiers : parti pour passer agréablement son temps, il se prend, lui aussi, au jeu de l'amour.

Tout au long de la pièce, les caractères ne cessent de s'enrichir, de gagner en nuances et en complexité. C'est par une telle rigueur dans la progression des sentiments que Molière est parvenu d'emblée à la grande comédie, dont la « mécanique » paraît aussi bien huilée que celle de la tragédie racinienne.

LES UNITÉS DE TEMPS ET DE LIEU

La pièce classique doit se dérouler aussi en un même lieu et en un espace de temps fixé à vingt-quatre heures. En haussant sa comédie au niveau de la tragédie, Molière devait tout naturellement se plier à ces impératifs.

- *Le temps*

L'unité de temps ne peut manquer de servir l'unité d'action, qui apparaît forcément plus resserrée en l'espace d'une seule journée. Pour Arnolphe comme pour le héros de la tragédie, c'est le jour décisif, celui où il s'est enfin résolu à « franchir le Rubicon » du mariage. L'accélération du rythme est également conforme au personnage, que le déroulement des événements ne cesse de tenir en haleine. Tout le mouvement de la pièce suppose une telle unité : commencée de bon matin avec le retour d'Arnolphe et sa rencontre avec Chrysalde, puis Horace, elle se termine le lendemain matin, à la fin d'une nuit agitée.

- *Le lieu*

L'unité de lieu fait davantage problème : on verra qu'elle a embarrassé bien des metteurs en scène. L'action des tragédies se situe en général dans un lieu de rencontre, par exemple l'antichambre d'un palais. L'action des comédies se déroule, elle, le plus souvent sur une place, sur laquelle donnent les maisons des principaux personnages. Tel est le cas de *l'École des Femmes.* Arnolphe y possède deux maisons proches l'une de l'autre : celle du soi-disant M. de la Souche a « les murs rougis » (v. 318). Certes, par les beaux jours, en province, on cause volontiers sur le pas de sa porte. Il n'en est pas moins étrange qu'Arnolphe, qui a manifesté tant d'impatience devant une porte longtemps close (I, 2), se garde d'entrer lorsqu'elle s'ouvre. Pourquoi fait-il descendre ses domestiques dans la rue pour leur donner des instructions ? Pourquoi surtout conduit-il Agnès sur la place pour lui adresser son sermon conjugal et lui faire lire ses maximes, alors qu'il prétend la cacher à tous ?

- *Arnolphe, pivot de la pièce*

Il convient de noter aussi comme facteur d'unité le fait qu'Arnolphe est constamment sur les planches, présent dans trente scènes sur trente-deux, débitant à lui seul près de la moitié des vers (840 sur 1 780). Agnès et Horace sont autour d'Arnolphe comme des satellites : ce dernier se trouve confronté tantôt à l'un, tantôt à l'autre. En revanche, on ne voit qu'une seule fois Horace et Agnès ensemble, et encore dans la pénombre. Certains l'ont regretté, car Molière aurait pu nous offrir là une ou deux scènes proches du theâtre de Shakespeare ou de Musset. Mais c'eût été rompre, sinon l'unité d'action, du moins l'unité du ton, qui doit rester de bout en bout essentiellement comique. C'est donc au moyen de récits que Molière nous a montré leurs successives rencontres.

LE PROBLÈME DES RÉCITS

L'École des Femmes est, en effet, constituée en bonne partie de récits. On en compte six, un dans la bouche d'Agnès, cinq dans celle d'Horace. Les adversaires de Molière ont voulu voir dans cette abondance de récits une faiblesse de sa pièce, mais il s'en est lui-même justifié par la bouche de Dorante dans *la Critique de l'École des Femmes* : « Il n'est pas vrai de dire que toute la pièce n'est qu'en récits. On y voit beaucoup d'actions qui se passent sur la scène, et les récits eux-mêmes sont des actions. »

En tout cas, l'existence de ces récits est fort utile, tant à l'unité de lieu qu'à l'unité d'action, qui se trouverait dispersée par une représentation réelle. Ce qui importe autant que chacun des récits, n'est-ce pas l'effet qu'il produit sur Arnolphe ? C'est ce qu'a bien vu l'écrivain allemand Lessing dans sa *Dramaturgie de Hambourg* (1767) : « Il s'agit moins de faits qui sont rapportés que de l'impression qu'ils font sur le barbon trompé quand il les apprend. C'est surtout le travers de ce dernier que Molière voulait représenter : il faut que nous voyions comment il se comporte en face du malheur qui le menace, et c'est ce que nous n'aurions pas vu aussi bien si le poète avait mis sous nos yeux les choses qu'il met en récit. »

D'autre part, n'est-il pas aussi agréable d'entendre raconter de la bouche d'Agnès ses échanges de révérences avec Horace que d'assister directement à la scène ? Ne croirait-on pas y être ? Y a-t-il rien de plus amusant encore que le récit fait par Horace des extravagances d'Arnolphe (IV, 6) ? Récits tous si vivants, si colorés, que l'action directement représentée produirait sans doute moins d'effet.

Ce sont de tels récits qui donnent l'élan nécessaire à

l'imagination du spectateur, lui permettant soit de rêver un peu, soit de reconstituer à loisir l'événement. Conformément aussi aux exigences de la dramaturgie, il se trouve que, lorsqu'un personnage reparaît après un acte, il a agi durant cet intervalle, et il convient de l'apprendre au spectateur. Après le premier acte, Arnolphe a cherché Horace sans pouvoir le trouver. Après le second, il a vu Agnès chasser le galant en lui jetant la pierre. Après le troisième, il a eu une rencontre avec Agnès, celle précisément à laquelle Horace a assisté de son armoire. Pourquoi, en particulier, Molière nous aurait-il montré cette scène quasi muette et qui, dans la mesure où elle annonçait le grand affrontement de l'acte V, aurait fait perdre à ce dernier une partie de sa force ? Enfin, entre l'acte IV et l'acte V, Horace et Agnès ont réussi à passer ensemble une partie de la nuit. Molière a su admirablement agencer action et récit, restant maître, dans les plus subtils détails, du déroulement de sa pièce.

AUTRES PROCÉDÉS DRAMATIQUES

• *Monologues et apartés*

On a fait aussi reproche à Molière du trop grand nombre des monologues d'Arnolphe : dix au total, dont sept constituent une scène. Comme les récits, les monologues font partie de la tradition classique : ainsi les stances de Rodrigue et le célèbre monologue de Don Diègue (O rage, ô désespoir). Mais la comédie les utilise aussi volontiers que la tragédie, le plus souvent, il est vrai, dans une intention parodique : c'est le désespoir d'Harpagon découvrant le vol de sa cassette.

Les monologues permettent au spectateur de connaître de l'intérieur le personnage, qui lui livre ses états d'âme. Tel est aussi le rôle des apartés (réflexions qu'un personnage émet pour lui-même, in petto, en présence d'un autre), nombreux également chez Arnolphe, tant en présence d'Agnès qu'en présence d'Horace. Apartés toujours soulignés par les jeux de physionomie, soigneusement indiqués par Molière.

Dans la pièce, monologues et apartés sont psychologiquement très justes. Arnolphe, dans la mesure où il doit constamment agir en secret et dissimuler ses sentiments à ses interlocuteurs (sauf Chrysalde), est bien obligé de se parler à lui-même. Au contraire, Horace l'étourdi, tout entier à la surface de lui-même, sans méfiance et sans arrière-pensée, se livre complètement à son interlocuteur dans ses confidences volubiles, sans même s'apercevoir des réactions qu'il provoque. Quant à Agnès, si elle parle peu, c'est pour donner le moins de prise possible à Arnolphe et, si ses sentiments ne se manifestent pas non plus en monologues et apartés, c'est qu'ils n'ont pas encore atteint le seuil de la conscience réfléchie. L'aparté est le signe même de la duplicité : la naïve Agnès n'en est pas encore là.

- *Les portraits*

La connaissance que Molière donne des personnages est enrichie par les portraits que ces derniers tracent d'eux-mêmes mutuellement. Ces portraits se complètent et s'opposent avec une remarquable rigueur. Agnès nous est présentée successivement par Arnolphe (dans son dialogue avec Chrysalde) et par Horace (dans ses premières confidences). Quant à Horace, Agnès n'esquisse évidemment pas de lui le portrait désobligeant qu'Arnolphe veut nous imposer. Enfin, de ce dernier, Horace propose à plusieurs reprises — sans le connaître directement — un portrait encore bien moins flatteur. Un tel chassé-croisé, sans répondre à aucune règle précise, témoigne encore fort bien d'un art classique très sûr dans son souci de symétrie et d'ordonnance parfaites.

- *Les quiproquos*

Ressort comique par excellence, le quiproquo fait aussi partie des conventions de la dramaturgie. Il est destiné à mettre en valeur l'aveuglement d'un personnage obnubilé par sa passion ou son idée fixe : ainsi Harpagon croyant que Valère lui donne des nouvelles de sa cassette.

Lorsque Arnolphe lui parle mariage, Agnès ne peut se représenter d'autre futur époux qu'Horace, alors que, de son côté, Arnolphe, sûr de son fait, ne peut se douter de la méprise d'Agnès. Le faux dialogue auquel il se livre avec le notaire (IV, 2) relève aussi du quiproquo : chacun est prisonnier de son idée. Enfin, faut-il le rappeler, toute l'intrigue repose sur le quiproquo entretenu dans l'esprit d'Horace par la double identité d'Arnolphe.

• *La question du dénouement*

Le point faible de *l'École des Femmes* reste incontestablement son dénouement, dans la mesure où il fait intervenir in extremis un personnage sans lequel la comédie ne saurait trouver une conclusion satisfaisante. Mais il faut bien (tel est aussi le cas de *Tartuffe* et de *l'Avare*) qu'à la fin le personnage principal, devenu odieux plus encore que comique, se voie obligé de renoncer à ses prétentions et mis définitivement hors d'état de nuire. Cela correspond à ce qu'on appelle, pour la tragédie, le *deus ex machina* (intervention d'un dieu ou d'un être surnaturel descendu sur la scène au moyen d'une machine).

Pourtant les critiques ont été assez indulgents pour le caractère plaqué, pour ne pas dire invraisemblable, d'un tel dénouement : ce qui importait avant tout à Molière, c'était le dénouement qu'il voulait suggérer au public, si douloureux fût-il : Agnès se jetant par la fenêtre ou enfermée dans un couvent (de même : Orgon et sa famille mis sur la paille par un Tartuffe triomphant, Harpagon épousant l'infortunée Marianne). Enfin, le dénouement ainsi conçu permettait à Molière, comme le voulait un autre usage, de rassembler tous ses personnages sur le plateau, tout en isolant, en mettant en quelque sorte en quarantaine celui qui faisait obstacle à la satisfaction des autres.

LA GRANDE RÈGLE : PLAIRE

Toutes ces règles et conventions, Molière les a acceptées et observées, mais sans en être esclave. C'étaient pour lui des recettes qu'il avait intérêt à appliquer, mais qu'il n'hésitait pas à transgresser ; car, en tout état de cause, elles étaient subordonnées à ce qui constituait à ses yeux la seule réelle exigence du théâtre : plaire au public. C'est ce qu'affirme, non sans véhémence, Dorante dans une tirade de *la Critique* : « Vous êtes de plaisantes gens avec vos règles. Il semble, à vous ouïr parler, que ces règles de l'art soient les plus grands mystères du monde... Je voudrais bien savoir si la règle de toutes les règles n'est pas de plaire et si une pièce qui a attrapé son but n'a pas suivi le bon chemin. »

Ce qui importe surtout à Molière, c'est le plaisir que le public peut prendre à ses pièces. Et le succès de celles-ci, à commencer par *l'École des Femmes,* témoigne entre eux d'une véritable complicité. Molière y exprimait les goûts d'une société qui se reconnaissait dans ce genre littéraire nouveau, on ne peut plus classique, qu'elle semblait avoir appelé de ses vœux. Quelle comédie pouvait-on imaginer plus conforme à cet idéal classique d'ordre et de rigueur, d'équilibre et de perfection, qu'on voyait au même moment s'instaurer dans les perspectives des jardins de Versailles ? *L'École des Femmes* pouvait apparaître dans ce décor comme un arc de triomphe sur lequel allaient s'ouvrir de magnifiques avenues : tous les futurs chefs-d'œuvre de Molière.

L'explosion du comique 6

L'École des Femmes est, sans conteste, de toutes les grandes pièces de Molière celle où l'on rit le plus. Si elle est bien jouée, enlevée avec entrain, on y rit presque de bout en bout. L'écrivain René Benjamin a eu raison de l'affirmer : « Toute cette pièce n'est qu'un grand éclat de rire. »

Il est bien vrai que, plus encore que dans l'unité d'action, la pièce trouve son unité dans celle du comique. Si les deux ressorts de la tragédie étaient la terreur et la pitié, Molière impose maintenant le sien à la comédie : le rire. Quoi de mieux fondé et de plus humain ? « Parce que le rire est le propre de l'homme », disait Rabelais. Or, dans le monde où Molière nous transporte, tout, ou presque tout, semble naturellement propre à provoquer le rire. C'est par le rire qu'il réalisera désormais l'unité vivante de ses meilleures comédies.

LE MOUVEMENT COMIQUE

Comment définir un tel comique, si ce n'est, d'abord, par son jaillissement, son explosion, qui apparaît si spontané ? Même si *l'École des Femmes* peut, il est vrai, prêter à de graves réflexions, c'est la gaieté qui domine au premier chef. Et cette gaieté, c'est surtout à la vivacité du mouvement qu'elle tient. Si la lenteur solennelle d'un inexorable déroulement est le propre de ce que Thierry Maulnier a appelé « la cérémonie tragique », le comique se caractérise d'abord par le mouvement. Et si la comédie est avant tout un art de mouvement, Molière, maître du mouvement, est bien le maître de la comédie.

On peut tout englober dans ce mouvement comique, garant pour le spectateur de deux heures de détente heureuse : la jovialité, la facétie, la drôlerie, la vivacité spirituelle. En somme, toute la gamme du rire, depuis la plus grosse truculence jusqu'à l'enjouement le plus fin. Le ton est donné dès le début avec la rencontre d'Arnolphe et de Chrysalde, puis avec sa rencontre avec Horace : « Ah ! joie extrême » (v. 252). « Il est, Seigneur Arnolphe, encor plus gai que nous » (v. 265)... Tout au long de la pièce, ce ne sera plus qu'une succession d'attentes et de détentes, un jaillissement d'imprévus et de rebondissements qui tiendront constamment en haleine le rire en même temps que l'intérêt du spectateur.

Mais le mouvement comique, c'est, en premier lieu, celui du pantin dont on tire les ficelles. Bergson, dans son célèbre petit livre sur *le Rire,* avait justement remarqué que ce qui fait rire le plus immédiatement, c'est une certaine raideur mécanique, à l'opposé de la souplesse requise par la vie. Une vie mécanisée, voire réduite à l'état de mécanique, voilà ce qui fait rire du Charlot des *Temps Modernes,* continuant dans la rue à serrer ses boulons. Cette raideur mécanique n'est-elle pas la première caractéristique du personnage d'Arnolphe ?

ARNOLPHE,
OU LA MÉCANIQUE DU RIRE

Ce qui est mécanique chez Arnolphe, c'est son idée fixe, sa hantise du cocuage, qui lui interdit toute souplesse face aux événements, toute adaptation à l'imprévu des circonstances. Nous rions d'abord chez lui de cette incapacité à se plier à tout ce qui lui arrive pour mieux le dominer. A chaque fois, plus que le hasard ou le destin, c'est simplement la vie qui, dans son cours naturel et spontané, met en défaut et en relief le côté mécanique du personnage. Tout comme un Orgon ou un Argan, chaussés de leur idée fixe, Arnolphe se moque des conseils, se rit des avertissements, s'avance d'une démarche saccadée dans son rêve impossible.

Il pense avoir tout prévu, tout systématiquement mis en œuvre depuis treize ans pour n'être point victime de cette infortune conjugale qui, croit-il, est le sort commun de ses concitoyens. Absolument sûr de sa méthode, voici enfin le jour où il attend les magnifiques résultats de son infaillible politique. Mais, par le biais d'Agnès et Horace, la vie ne va cesser de tenir en échec cette belle mécanique, qu'Arnolphe, piètre mécanicien, se montrera constamment incapable de réviser. Tout le rythme de la pièce repose là-dessus : un homme qui prétend comprimer la vie et la vie qui, à chaque fois qu'il pèse sur elle, le jette à terre et le bafoue.

En effet, plus Horace, par son étourderie, semble lui donner les moyens de redresser la situation, plus Arnolphe, par son obstination bornée, fait en sorte que celle-ci se retourne contre lui et le prive de son avantage. Et plus Agnès et Horace devraient perdre, à force d'imprudence et de légèreté, plus, sans même le vouloir, ils avancent leurs pions. Arnolphe est pourtant si sûr, à chaque fois, de finir par triompher qu'il prend un malin plaisir à pousser son rival à la confidence pour jouir de son désappointement. Et, chaque fois, Horace, par ses révélations nouvelles, lui fait avaler une plus « fâcheuse pilule ». Tour à tour confronté à Horace et à Agnès, Arnolphe apparaît bien comme un pantin impuissant, ou encore comme une balle ou une baudruche que se renverraient les jeunes gens : la baudruche incessamment se dégonfle et se regonfle jusqu'à ce que, trop tendue, elle finisse par éclater et retomber lamentablement à la fin de la pièce.

AGNÈS ET HORACE, OU L'INDULGENCE DU RIRE

On a prétendu que, dans la pièce, seul le personnage d'Arnolphe était comique. Ce n'est pas tout à fait vrai. Certes, toute la pièce est construite pour projeter la lumière sur le personnage principal. Mais Agnès et Horace sont pris également dans le mouvement comique.

- *Agnès*

Son rôle d'ingénue, proche de la niaiserie, est traditionnellement inscrit au répertoire, avec tous les bons mots et sous-entendus grivois qu'il peut comporter. Elle n'entend en effet aucune malice aux réponses qu'elle fait à Arnolphe : les puces la dérangent la nuit ; le jour, elle se fait des coiffes et lui confectionne des cornettes ; elle s'apitoie sur la mort de son petit chat. Elle n'entend rien au jeu du corbillon et, à dix-sept ans, est encore assez niaise pour croire que les enfants se font par l'oreille. A Arnolphe inquiet, qui veut savoir si Horace lui a fait des caresses ailleurs que sur les bras, elle demande si on fait d'autres choses. Enfin, elle prend au pied de la lettre l'emploi de certains verbes comme *faire* (v. 465), *blesser* (v. 512) et les propos métaphoriques de l'entremetteuse : « Mes yeux ont-ils du mal pour en donner au monde ? » (v. 520). Le quiproquo sur le ruban (v. 572) s'explique de la même façon. Quant au verbe *caresser* (autre malentendu), elle ne le conçoit à l'adresse de son tuteur que comme un geste de reconnaissance enfantine.

De plus, elle participe au climat de gaieté qui anime toute la pièce. Elle, si peu loquace au début et si peu disposée à révéler à Arnolphe la visite d'Horace, la voilà qui se met à parler d'abondance et à tout raconter par le menu, comme si une petite mécanique de boîte à musique avait déclenché le mouvement. Et, par ailleurs, quoi de plus mécaniquement comique que cet échange de révérences tel qu'elle le rapporte ?

• *Horace*

C'est le « jeune premier » qui vient tout droit de la comédie italienne. Dans la troupe de Scaramouche, les rôles d'amoureux étaient tenus jusqu'en 1660 par Romagnesi, sous le nom d'Horazio [1]. C'est le « petit maître amoureux », et, avec ses grands canons, sa perruque blonde, il est une préfiguration à la fois de Dom Juan et des « petits marquis » du *Misanthrope*. Arnolphe n'a sans doute pas tort de brocarder ces « beaux blondins et leurs sornettes », ces « damoiseaux » avec « force rubans et plumes, grands cheveux, belles dents », ces « godelureaux » et autres « morveux ».

1. Il y avait aussi dans la troupe Valerio et Octavio qui ont donné leurs noms à d'autres amoureux de Molière : Valère *(l'Avare)*, Octave *(les Fourberies de Scapin)*. Quant au nom d'Arnolphe, il est aussi de provenance italienne : Arnolfo, saint d'origine française (Arnulf, Arnoul), était considéré dans certaines régions comme le patron des maris trompés.

Léger, pimpant, impertinent, un brin suffisant, Horace n'est pas encore antipathique, dans la mesure où ces défauts sont le propre de la jeunesse et portent plutôt à sourire. Il zézaie, écorche les noms, prononce M. de la Zousse. Il débite avec volubilité ses propres récits, parle avec complaisance du « jeune objet », du « joli bijou », qu'il vient de « férir ». Son interlocuteur n'est pour lui qu'une oreille complaisante à laquelle il prête une attention distraite. Il lui arrive de se demander comment « son jaloux » a pu avoir eu vent de son intrigue, mais il est trop excité par l'aventure pour pousser plus loin son enquête, et sa confiance en Arnolphe reste aveugle jusqu'au bout. Le spectateur est bien tenté de partager les vues de ce dernier à l'égard d'un blondin aussi évaporé, qui semble s'appliquer à préparer les pièges dans lesquels il tomberait lui-même si son rival était mieux avisé.

Seulement, pas plus qu'Arnolphe, Agnès et Horace ne sauraient être réduits à leurs dimensions strictement comiques. Tous s'évadent, en temps voulu, de la galerie conventionnelle des personnages typés.

LA TENSION DU COMIQUE : ARNOLPHE AU PILORI

Si les sentiments du spectateur pour Agnès et Horace ne peuvent évoluer que dans le sens de l'indulgence et de la sympathie, en ce qui concerne Arnolphe, le mouvement ne peut être qu'inverse. Arnolphe n'est pas seulement un bouffon, un grotesque qui fait rire sans arrière-pensée. A la suite de Bergson, il faut bien distinguer le rire provoqué par le distrait qui glisse sur les peaux de bananes qu'il a imprudemment semées et le rire provoqué par le méchant qui chute sur les peaux qu'il a répandues dans le seul but de se réjouir des meurtrissures d'autrui. Tel est pris qui croyait prendre : le rire ainsi déclenché est toujours plus ou moins vengeur. « C'est bien fait, il ne fallait pas y aller. »

Arnolphe est bien de ces êtres malfaisants qui méritent le pilori ou la flèche vengeresse. Il n'est victime que de lui-même. C'est un personnage comique doublé d'un personnage odieux au même titre que le gendarme qui se fait rosser par Guignol pour la grande joie des enfants. Le comique de Molière, à partir de *l'École des Femmes,* a aussi pour vocation de clouer au pilori, de livrer à la vindicte du public, des êtres dont il veut dénoncer le vice en même temps que la malfaisance.

Jusqu'au jour prévu pour son mariage, Arnolphe était aussi un « voyeur ». Voilà vingt années que ce maniaque faisait des gorges chaudes du triste sort des maris de la ville. C'était un « plaisir de prince » que de se donner cette comédie à lui-même. Mais le voilà qui se jette à l'eau à son tour, et qui de spectateur devient acteur. Et quel acteur ! de plus en plus piteux, de plus en plus bouffon. Le voilà « dupe en sa maturité » des tours, pourtant peu subtils, « d'une jeune innocente et d'un jeune éventé ». Humiliation bien méritée.

Et ce d'autant plus que ce voyeur se doublait d'un pédant. L'automatisme propre à l'homme instruit, n'est-ce pas le pédantisme ? Si Arnolphe mérite son châtiment, n'est-ce pas d'abord par cette suffisance, par cette infatuation, qui procèdent d'une certaine part d'aveuglement, mais où nous voulons lui trouver aussi une part de responsabilité ? Car ce docteur ès ignorance (s'agissant des femmes et de l'amour) est un pédant de la plus belle eau, doctoral, emphatique, solennel, comme tous les faiseurs de systèmes. D'où la scène réjouissante avec le notaire (IV, 2), autre pédant imbu de son infaillible savoir.

Arnolphe est donc coupable, et il mérite son châtiment. Les spectateurs le lui signifient par leurs rires. Car enfin, il faut se poser la question : et s'il était arrivé à ses fins ? Ainsi pour Tartuffe. Rire amer, rire violent alors, que celui du public, mais aussi rire inquiet, qui traduit le début d'une prise de conscience[1]. Le système dont Arnolphe est si fier est un système barbare, dont il pousse la barbarie jusqu'à l'absurdité : d'où notre rire.

Le spectateur ne peut donc laisser passer l'occasion de manifester sa joie réprobatrice. Il jubile d'assister au

1. « Le vrai comique est un flux qui a pour reflux la réflexion sur le rire », a écrit Albert Thibaudet. Rappelons aussi le mot de Pagnol : « Le rire a été donné à l'homme pour le consoler d'être intelligent. »

complet retournement de la situation, lors de la seconde rencontre d'Arnolphe avec Chrysalde (IV, 8). Retournement plus complet encore lorsqu'il le voit se jeter aux pieds d'Agnès et lui faire les plus humiliantes concessions (V, 4).

LE COMIQUE DE DÉTENTE

Avec une rare maîtrise, Molière sait constamment faire oublier au spectateur les situations tendues ou pénibles, dans lesquelles le comique risque de s'effacer au profit de l'impitoyable révélation des passions humaines. Tout naturellement, pour détendre l'atmosphère, il retrouve sa première vocation de « farceur », et il continuera à le faire, même dans ses pièces les plus délicates.

- *Les domestiques*

C'est d'abord au valet, hérité, comme Horace, de la comédie italienne qu'il fait appel, non pas le valet intrigant et facétieux (comme Scapin ou La Flèche), mais le valet naïf, lourdaud, capable de toutes les bourdes (comme le Covielle du *Bourgeois Gentilhomme*). Mais dans *l'École des Femmes*, heureuse trouvaille, le valet Alain se double de la servante Georgette, aussi peu douée. Couple bien dans la logique de la pièce : Arnolphe ne pouvait doter Agnès de domestiques trop dégourdis. Mais, tout comme la naïveté d'Agnès, il arrive que leur balourdise s'exerce à ses dépens : ainsi dans la scène (IV, 4) où il procède à leur entraînement pour faire front à l'adversaire, ce qui lui vaut quelques horions.

Molière se sert aussi de ce couple mal dégrossi pour présenter à plusieurs reprises une sorte de ballet chorégraphique burlesque, qui s'intègre encore fort bien au mouvement général de la pièce. Dans l'acte I, scène 2, la symétrie des répliques et des gestes, les changements d'attitude de la servante et du valet sous les menaces de leur maître, leur empressement succédant à leur inertie, esquissent sur la scène des marches et contre-marches qu'on croirait réglées par un maître de ballet. Ballet de répliques et de mouvements qu'on retrouve au début de l'acte II, les deux domestiques tombant en cadence aux genoux de leur maître irascible. Pensons aux films de Charlot où le mouvement comique s'achève souvent en véritable chorégraphie : ainsi la célèbre danse des petits pains dans *la Ruée vers l'or.*

• *Comique de gestes et comique de mots*

Le comique de gestes n'est pas le seul apanage des domestiques. Pensons aux mimiques du notaire perdu dans sa procédure (IV, 2). Mais c'est surtout Arnolphe suffoquant de colère, commençant à quitter ses vêtements (II, 2). Ce sont ses roulements d'yeux, ses mouvements de la tête et des épaules, dans lesquels Molière acteur excellait. La plupart des gestes et mouvements, s'ils ne sont pas directement représentés, peuvent être facilement imaginés : l'échange des révérences, le grès jeté avec la lettre, Horace caché dans l'armoire, les allées et venues d'Arnolphe dans la chambre, les hardes jetées par la fenêtre, les vases cassés, l'émoi du petit chien, l'embuscade nocturne, les bourrades des valets, la chute d'Horace, étendu à terre et faisant le mort, puis se relevant.

Le comique de mots accompagne le comique de gestes, en particulier chez les valets, et selon le même rythme de ballet : « Vous êtes un sot, vous êtes un nigaud... » Dans leur bouche comme dans celle d'Arnolphe, le spectateur de l'époque retrouvait (mieux que nous) les vieilles plaisanteries du truculent fonds gaulois : ainsi la femme définie comme le « potage de l'homme », où les autres veulent « tremper leurs doigts »[1]. Certains mots, plus ou moins déformés, du langage des domestiques produisaient aussi leur effet comique : Alain estropiant stratagème en « strodagème », Georgette parlant de « biaux monsieurs » et Alain d'« amitié goulue ». Enfin, la définition embarrassée et burlesque qu'Alain s'efforce de donner de la jalousie. Comique de farce, dont déjà les

1. La comparaison se trouvait déjà chez Rabelais *(Tiers Livre)* : « Ma femme sera pudique et ce beau Jupin ne trempera son pain dans ma soupe. » Nous avons conservé ce genre de métaphores : tremper son biscuit...

contemporains délicats se montraient, ou affectaient de se montrer choqués. Outre le potage, la tarte à la crème, il y avait le jeu sur le « le » (v. 572), une de ces « sales équivoques et malhonnêtes plaisanteries », que Racine stigmatisait dans l'*Avis au lecteur* de ses *Plaideurs.*

• *La parodie*

Au vers 642, Molière s'est amusé à mettre dans la bouche d'Arnolphe une réplique du personnage de Pompée dans *Sertorius,* tragédie de Corneille qui venait d'être représentée. A plusieurs reprises, le ton solennel et pontifiant dans lequel s'exprime Arnolphe ne peut manquer de rappeler le ton de certains personnages cornéliens :

Un certain Grec disait à l'empereur Auguste
Comme une instruction utile autant que juste...

Plusieurs tirades d'Horace semblent aussi adopter parfois le ton de certains récits cornéliens comme celui du Cid dans le combat contre les Maures[1].

Molière savait avec une rare maîtrise combiner les tons les plus divers, comme il savait merveilleusement combiner tous les rires, du plus enjoué au plus âpre, du plus débridé au plus fin.

1. Molière avait-il certains comptes à régler avec Corneille ? Le vers 182 contient en tout cas une allusion précise à son frère Thomas, qui avait pris le nom de Corneille de l'Isle. Les deux Corneille, dit-on, goûtèrent peu l'allusion.

7 Aux frontières du tragique

UN BOURREAU ET SA VICTIME

• Chez Arnolphe, il est incontestable que l'odieux le dispute au bouffon. Jusqu'à ce que les rôles soient enfin renversés (c'est-à-dire quand Enrique récupère sur Agnès la légitime autorité dont il est détenteur), Arnolphe se présente bel et bien comme un bourreau et Agnès comme une victime. Voilà qui porte plus le spectateur à frémir et à s'indigner qu'à « se tenir les côtes ». Tout, dans les intentions du tyran, vise à laisser sa pupille dans les ténèbres de l'ignorance et de la servitude. De plus, comme Chrysalde le souligne, si Arnolphe est un maniaque, un « fou fieffé » (on dirait aujourd'hui un obsédé), il est loin d'être un imbécile. Sa responsabilité est donc entière quand il prétend, lui, disposer du savoir précisément pour en priver autrui.

Despote abominable, Arnolphe, dans ses relations avec Agnès, apparaît ni plus ni moins que comme l'avare possesseur d'un bien qu'il a acquis au même titre qu'une marchandise. C'est d'abord en propriétaire frustré qu'il réagit, craignant (comme Harpagon) que son bien ne lui soit dérobé, ou, du moins, gâté. Enfin, c'est en cruel tyran qu'il se comporte lorsqu'il menace Agnès, tout comme le fait Néron, dissimulé derrière une tenture, obligeant Junie à congédier Britannicus :

Moi, caché dans un coin,
De votre procédé je serai le témoin. (v. 637-638)

Même au moment où la passion jalouse découvre en lui la faille, le défaut de la cuirasse, ne s'apprête-t-il pas encore à envoyer Agnès finir ses jours dans un « cul de couvent » ?

• Quant à Agnès, elle ne fait pas seulement figure d'innocente victime, et son évolution au long de la pièce ne laisse pas de présenter certains signes inquiétants. Ce qu'elle a découvert pour faire face à son bourreau, c'est la dissimulation, sinon la duplicité. A la fin de la pièce, sous ce visage fermé, indifférent à la passion d'Arnolphe, le spectateur se demande quelles pensées fermentent. Certes, elle est encore en deçà de toute véritable hypocrisie, mais semble avoir appris déjà à se servir de sa candeur. Sournoise malgré elle, elle se trouve engagée sur la pente de l'effronterie et du cynisme. Est-elle si loin d'une Célimène qui, mise en demeure par Alceste, se garde bien de le contrarier et refuse de se défendre ? C'est Horace lui-même qui pose le problème :

Et n'est-ce pas sans doute un crime punissable
De gâter méchamment ce fonds d'âme admirable ?
(v. 952-953)

Certes, Horace met directement en cause la responsabilité d'Arnolphe ; il n'empêche qu'Agnès a déjà pris de fort troublantes initiatives : elle a encouragé les avances d'Horace, puis l'a introduit dans sa chambre, enfin s'est enfuie avec lui dans la nuit comme la pire dévergondée. On peut partager l'appréciation d'Arnolphe :

Quoi ! pour une innocente, un esprit si présent !
(v. 979)

Peut-être même n'a-t-il pas tort de penser qu'il sera vengé d'elle par elle-même :

Je n'ai qu'à laisser faire à son mauvais destin. (v. 991)

A la fin, si Arnolphe, écrasé, cesse de nous inquiéter, c'est au tour d'Agnès de nous poser des problèmes. Certains n'ont pas hésité à voir en elle une future gourgandine, une Manon Lescaut (qui pourrait tout aussi mal finir). Surtout face à la faiblesse d'un Horace qui pourrait bien, lui, annoncer un chevalier des Grieux [1]. On rapporte que Louis Jouvet, quittant la scène et le rôle d'Arnolphe, murmurait : « Je ne donne pas cher de ce petit couple. »

UNE PASSION DOULOUREUSE

Bouffon, odieux tant qu'on voudra, Arnolphe nous apparaît aussi progressivement sous un autre jour : celui d'un personnage pitoyable à force d'être berné et malmené, même s'il est directement responsable de son propre malheur. A partir de la fin de l'acte III, au fur et à mesure qu'Agnès lui échappe, prend son autonomie, affirme sa personnalité, il se surprend à l'aimer véritablement, à l'aimer d'une profonde et terrible passion, qu'il n'arrivera plus à extirper de son cœur et surtout de sa chair. Ce n'est plus seulement le tyran outragé, le propriétaire dépossédé qui réagit en lui. C'est parce qu'elle sait si bien lui résister, qu'il se voit obligé de la considérer et de la traiter, non plus en objet et en esclave, mais comme un être à part entière.

J'étais aigri, fâché, désespéré contre elle,
Et cependant jamais je ne la vis si belle...
Et je sens là dedans qu'il faudra que je crève. (v. 1020-1024)

La philosophe Simone Weil qualifiait d'atroce ce dernier vers, ajoutant que : « Dans *l'École des Femmes,* à propos de l'amour, la misère est mise à nu. »

Il est vrai qu'à travers la bouffonnerie du fantoche, Molière nous fait apparaître l'homme dans sa plus nue vérité, c'est-à-dire dans ses contradictions les plus extrêmes, dans ses aspirations à la fois les plus extravagantes et les plus dérisoires. Il nous montre Arnolphe découvrant avec une sorte d'angoisse désespérée cette amoureuse passion à l'abri de laquelle, plus ou moins consciemment, il avait, au fond, cherché à se mettre. Et

1. Dans sa dernière réplique (v. 1726), c'est le verbe *vouloir* qu'emploie Agnès : « Je veux rester ici. » En revanche, Horace, à qui elle demande du secours, se borne à lui répondre : « Je ne sais où j'en suis, tant ma douleur est forte. »

dans cette passion se mêlent, d'un même élan, instinct de possession, vanité exacerbée, mais aussi cri du cœur et appel de la chair [1]. Après Arnolphe, seul Alceste sera à ce point complexe, dans le théâtre de Molière.

A la fin de la pièce, Arnolphe sait bien ce que vaut Agnès pour lui, et le triste sort qu'elle lui prépare. Mais il ne peut plus se passer d'elle : il a rejoint la condition commune des hommes.

Chose étrange d'aimer, et que pour ces traîtresses
Les hommes soient sujets à de telles faiblesses !
(v. 1572-1573)

Quoi de plus pathétique, au fond, que cette capitulation sans conditions de la part d'un être qu'on pouvait croire si égoïste et si insensible ? Comment ne nous déchirerait-il pas le cœur à l'entendre implorer ?

Considère par là l'amour que j'ai pour toi,
Et, me voyant si bon, en revanche aime-moi.
(v. 1582-1583)

Comment ne pas prendre en pitié cet homme mûr, maintenant prêt à tous les sacrifices, à tous les reniements, incapable désormais de se détacher de cette petite qui l'envoie promener et qui peut-être même vient de céder à un rival pour le plaisir duquel il semble l'avoir réservée ?

ARNOLPHE, PERSONNAGE TRAGIQUE ?

Ce sont bien les contradictions propres à tout être humain que Molière met si cruellement en valeur. On voit jusqu'à quelle profondeur il en est arrivé à creuser un simple personnage de comédie, pénétrant dans cette région de l'homme où comique et tragique ne sont que la double interprétation d'une seule réalité. Rappelons le mot célèbre de l'Anglais Walpole : « La vie est une comédie pour celui qui pense, une tragédie pour celui qui sent. »

1. Selon Jacques Audiberti, l'angoisse d'Arnolphe est peut-être bien celle du débauché qui se résout enfin au mariage, mû par son appétit d'innocence et de virginité : « Crise de l'homme mûr, encore vert, qui voit dans les adolescentes les sources où retrouver les forces de la vie. »

On peut déceler dans *l'École des Femmes* tout un fond d'ineffable tristesse. Si notre sympathie va tout naturellement à Horace et Agnès, nous ne pouvons rester entièrement insensibles à l'impuissant et fatal amour d'Arnolphe. Comment ne pas lui appliquer aussi les vers, si souvent cités, de Musset à propos d'Alceste ?

Quelle mâle gaîté, si triste et si profonde,
Que, lorsqu'on vient d'en rire, on devrait en pleurer [1] !

Mais on peut trouver aussi dans Arnolphe la dimension véritablement métaphysique d'un héros de tragédie.

• *Une victime du destin*

Arnolphe n'est pas, à quarante-deux ans, tombé inopinément amoureux d'une quelconque adolescente. Voici quelque treize ans déjà que son destin semblait inscrit dans les astres, au moment où il avait pris la résolution de mettre un jour dans son lit cette petite fille de quatre ans.

Héros tragique, Arnolphe l'est pleinement dans ce que Serge Doubrovsky appelle son « complexe de Pygmalion [2] ».

Je veux...
Choisir une moitié qui tienne tout de moi. (v. 126)

N'a-t-il pas poussé la démesure — ce que les Grecs appelaient l'*ubris* — jusqu'à vouloir se substituer à Dieu et se créer une épouse dont la vie entière serait vouée au seul culte de son seigneur et maître ? Même à la suite de la première alerte menaçant ses projets (premier avertissement du Ciel), ne continue-t-il pas à s'arroger les prérogatives du Créateur en prétendant façonner un être dépendant exclusivement de lui ?

Ainsi que je voudrai je tournerai cette âme :
Comme un morceau de cire entre mes mains elle est.
(v. 809-810)

1. Dans *Une soirée perdue*. Dans son roman *Béatrix*, Balzac faisait dire au cynique Maxime de Trailles : « Moi, je pleure à la grande scène d'Arnolphe. »
2. Article du *Mercure de France*, septembre 1961 : « Arnolphe ou la chute du héros ». Pygmalion, sculpteur grec, s'éprit de la statue de Galatée qui était son propre ouvrage.

Poussé par un démoniaque orgueil, on dirait qu'Arnolphe cherche à se diviniser dans le seul domaine où il croit disposer d'autorité et de puissance.

Pour que la souffrance du héros atteigne à la dimension tragique, il faut que lui-même y décèle la présence de quelque destin, de quelque force supérieure hostile, contre laquelle il ne peut rien. Il a beau avoir pour lui son expérience d'âge mûr et l'innocence de sa pupille, l'intervention de la fatalité ne va cesser, à ses yeux, de se manifester tout au long de la pièce.

Ou bien, s'il est écrit qu'il faille que j'y passe... (v. 1005)

Quoi ! l'astre qui s'obstine à me désespérer... (v. 1182)

Ah ! bourreau de destin, vous en aurez menti ! (v. 1206)

C'est la même démesure qui l'a poussé sans doute aussi à entreprendre cette croisade donquichottesque contre le cocuage et à pourfendre tous les maris qui, par lâcheté ou complaisance, permettent une telle humiliation de l'homme. Il pense avoir été désigné pour leur donner une leçon : autre démesure ! Mais sa mission en ce monde consiste à rendre les infortunes des autres notoires, éclatantes (on a vu dans quelle voie il poussait Horace), non pas pour essayer de les guérir, mais pour affirmer à leur égard son essentielle singularité. « Je veux qu'on me distingue », dira Alceste. Quant à lui, lorsqu'il s'écrie : « Moi ! je serais cocu ? » (v. 1312), il révèle le fond de sa hantise orgueilleuse, qui n'est pas seulement d'être cocu, mais d'être cocu comme tout le monde, d'être confondu par ce malheur avec la masse de la misérable humanité.

- *Un châtiment exemplaire*

Tout héros tragique est châtié pour sa démesure, quand bien même celle-ci lui a été inspirée par les dieux. Or le destin a désigné comme instruments de son supplice les deux êtres les plus innocents qui soient, auxquels il ne saurait en vouloir. Que peut comprendre Agnès aux reproches qu'il lui fait ? Autant s'adresser à un mur. C'est par elle et par Horace que lui, le « voyeur », devient spectateur de son propre malheur. Dans le miroir qu'ils lui tendent l'un et l'autre, le malheureux Arnolphe découvre un M. de la Souche extravagant, grotesque, trompé et bafoué.

Le martyre d'Arnolphe réside bien dans cette douloureuse prise de conscience à laquelle il ne peut échapper. Car, s'il espère chaque fois « récupérer » Agnès, c'est à condition d'entendre sans broncher les confidences de son rival. Comble de la souffrance, pas plus qu'une Phèdre il n'a la possibilité d'épancher sa douleur[1]. Ne s'est-il pas, dès le départ, interdit tout véritable dialogue avec Agnès, ne lui demandant que d'écouter et d'obéir ? Au moment où il en aurait le plus besoin, il ne peut user envers elle d'aucune persuasion : il ne peut ni raisonner avec celle qu'il appelle maintenant « la raisonneuse » ni apitoyer ce jeune être dont le cœur se révèle désormais, ô ironie, capable de battre. Par ce refus d'échange, il s'est condamné lui-même au silence. Pour fléchir Agnès, il n'a d'autre solution que de se faire, à son tour, esclave.

Là s'inscrit la damnation d'Arnolphe : c'est dans la mesure où Agnès est capable de le faire souffrir qu'il lui reconnaît le droit à l'existence. Le voilà pris dans l'engrenage de la fameuse dialectique sado-masochiste : il découvre, dût-on en souffrir abominablement, qu'on ne saurait aimer vraiment qu'un sujet, non un objet. Quelle satisfaction aurait-il eue, en fin de compte, à n'avoir à sa disposition qu'un petit animal docile et indifférent ? Insurmontable contradiction ! Tout l'effort d'Arnolphe était, au départ, de figer Agnès dans un état quasi végétatif. Et quand force lui est de reconnaître la vanité de cette tentative, c'est pour se ravaler au rôle de mari soumis et complaisant. La boucle tragique est bouclée, le renversement complet : Arnolphe et Agnès ont accompli, l'un par rapport à l'autre, leur révolution.

1. Encor dans mon malheur de trop près observée
Je n'osais dans mes pleurs me noyer à loisir...
Et sous un front serein déguisant mes alarmes,
Il fallait bien souvent me priver de mes larmes. (*Phèdre*, IV, 6)

Les thèmes de la satire 8

C'est à la fois en invoquant la morale et la religion et en recourant à leur aide qu'Arnolphe prétend asseoir son autorité sur Agnès. Et si nous sommes portés à le prendre au sérieux, à le trouver odieux, c'est bien parce qu'il prétend, en leur nom, interdire à un être humain le libre épanouissement de ses facultés. Du même coup, on peut se poser la question : la dévaluation comique qui frappe le personnage n'atteint-elle pas aussi les valeurs morales et religieuses auxquelles il prétend se référer ? Morale et religion n'ont-elles réellement à nous offrir que des règles et des commandements auxquels seules la menace et la peur peuvent nous faire obéir ?

MORALE ET RELIGION

C'est surtout en mettant directement en cause la notion même de péché que Molière abordait vraiment le « sujet tabou » par excellence, manifestant par là, pour l'époque, une assez stupéfiante audace. Aucune pièce ne visait alors à ce point les fondements de la morale. En les incarnant dans son personnage, Molière ne condamnait-il pas précisément tous ces interdits, défenses, restrictions, propres à comprimer le libre élan de la vie, à bloquer le plein épanouissement des forces naturelles de l'amour et de l'aspiration au bonheur ?

Ne nous porte-t-il pas à rire d'abord, puis à nous indigner des châtiments réservés aux pécheurs (et surtout aux pécheresses) en brandissant leur menace comme d'absurdes et cruelles superstitions ? Ainsi des « chaudières bouillantes » et de l'âme des femmes « malfaisantes » (c'est-à-dire trompant leur mari) rendue « noire comme un charbon ». Dans les dix *Maximes du mariage* (accompagnées de l'exercice journalier) qu'Arnolphe fait lire à Agnès — en précisant bien qu'il ne s'agit pas de les comprendre, mais de les appliquer à la lettre — l'intention parodique et satirique est indéniable. On a pu montrer en effet que ce formulaire ressemble à s'y méprendre à l'*Institution à Olympia* de saint Grégoire de Nysse, docteur de l'Église (335-395), qu'un contemporain de Molière, Desmarets de Saint-Sorlin, venait de traduire en vers de mirliton, et qui était répandue par les dévots comme brochure d'église. Molière ridiculisait du même coup le traducteur et le texte. De plus, il suggérait des équivoques gaillardes (« la femme jouant de son reste ») propres à en accentuer l'outrance.

Molière n'allait-il pas jusqu'à faire comprendre ainsi qu'une si tyrannique autorité pouvait être légitimement déjouée et bafouée ? Et que les devoirs qu'impose une morale trop dure et contraignante ne peuvent manquer de déboucher sur la désobéissance et la révolte, à moins qu'ils ne conduisent à l'hypocrisie servile et à la tartufferie intéressée ?

CRITIQUE DE L'ORDRE BOURGEOIS

C'est bien de tartufferie intéressée qu'il s'agit dans le cas d'Arnolphe. C'étaient de tels êtres qui, aux yeux de Molière, favorisaient l'établissement ou le maintien d'une conception à ce point arriérée de la morale et de la religion, au lieu d'en privilégier l'évolution, parallèlement à celle des mœurs et de la société.

Il convient de se demander maintenant si, plus largement, à travers son personnage Molière n'a pas visé un certain type social, dénoncé un certain ordre social. Arnolphe est le premier exemplaire, et peut-être d'emblée le plus accompli, de ces bourgeois qu'il fera défiler sur son théâtre et dont l'odieux le disputera constamment au ridicule : Orgon, Jourdain, Harpagon, Chrysale, Argan...

La représentation caricaturale du bourgeois était, depuis le Moyen Age, de tradition dans la littérature comique. Et il n'est pas étonnant que le thème du cocuage ait été étroitement associé à une telle représentation : la dominante du bourgeois est un mélange contradictoire — de là naît le comique — de prétention, de passion possessive, d'instinct dominateur et, d'autre part, de mesquinerie, de pusillanimité, de lâcheté.

De même qu'Orgon couve « son » Tartuffe et Harpagon sa cassette, Arnolphe ne se comporte pas autrement envers Agnès qu'en avare possesseur d'un trésor. Il est, par là même, le contraire du conquérant, du séducteur, toujours prestigieux (c'est Horace, préfigurant Dom Juan, qui fait la conquête d'Agnès) : il est un acquéreur (il a payé le corps d'Agnès) doublé d'un accapareur. Il tient à en garder l'exclusivité totale : personne d'autre ne verra Agnès, elle ne s'habillera que pour lui... Instinct de propriété doublé d'une sorte de sensualité vulgairement gourmande : s'il « mijote » Agnès, c'est comme un gourmet qui se prépare un bon plat auquel il sera seul à goûter : « Je te bouchonnerai, baiserai, mangerai » (v. 1595).

Il peut sembler contradictoire que ce jouisseur matérialiste invoque si souvent la morale la plus sévère et la religion la plus rigoureuse. Là se situe la bassesse hypocrite du personnage : il a grand besoin de si puissants soutiens pour garder sa proie. A travers Arnolphe et ses semblables, on ne saurait douter que Molière, cet « évadé de la bourgeoisie », comme on a pu l'appeler, s'est acharné à représenter la médiocrité de ce milieu vulgaire, égoïste, borné, timoré, envieux, dont il était lui-même issu. Bourgeois tricheur, Arnolphe l'est aussi en se faisant appeler M. de la Souche, pour oublier et faire oublier ses origines roturières.

Une dernière remarque s'impose. De même que les précieuses ridicules étaient des « pecques provinciales », Arnolphe est un bourgeois de province. Du provincial il a ce goût du scandale qui se mêle à la sévérité de sa morale : il encourage le vice pour mieux le fustiger. Il se repaît avec une sorte de refoulement des histoires galantes qui courent dans la ville, tout disposé à pousser dans cette voie des jeunes gens comme Horace, au détriment de cette morale qu'il prétend sauvegarder.

CHRYSALDE, OU LA CRITIQUE DU JUSTE MILIEU

Face à un Arnolphe rendant odieuses ou ridicules les valeurs d'une morale figée et rétrograde, on peut se demander si Molière n'a pas confié à un autre personnage, Chrysalde en l'occurrence, le soin d'incarner et de défendre, par contraste, une morale plus humaine et plus accommodante.

Il existe dans toutes les pièces de Molière un personnage chargé, semble-t-il, de mettre les choses au point et de rétablir les droits d'une morale juste et saine. Il est certain que le rire, qui doit, théoriquement, corriger en nous les défauts dont nous nous moquons chez les autres, n'est pas par lui-même suffisamment éclairant et efficace. C'est sans doute pourquoi Molière fait appel à celui qu'on désigne ordinairement du terme de « raisonneur ». Le premier en date en est l'Ariste de *l'École des Maris*, et au Chrysalde de *l'École des Femmes* succèderont le Cléante des *Femmes savantes*, le Béralde du *Malade imaginaire* et surtout le Philinte du *Misanthrope.*

Chrysalde se présente lui-même dans ses interventions comme le porte-parole du plus élémentaire bon sens. Fuyant les extrémités, il est l'homme du juste milieu et de ces solutions moyennes auxquelles doit se rallier tout homme avisé. Mais quel est ce juste milieu ? Chrysalde n'enseigne-t-il pas aux maris infortunés, plutôt qu'une véritable sagesse, une indulgence excessive, proche de la complaisance ? Ce qui lui importe le plus, c'est sa petite tranquillité : mieux vaut être cocu, selon lui, que d'avoir pour femme « un dragon de vertu ». Pour lui, « le cocuage n'est que ce que l'on le fait ». Il a même « ses plaisirs » !

De plus, de tels propos sont exposés sur un ton doctrinal et sentencieux, du style le plus plat et le plus conventionnel. Alors, de deux choses l'une : ou bien Molière a fait aussi de Chrysalde un personnage ridicule, donnant un tour grotesque (comme Arnolphe) aux maximes qu'il prétend enseigner ; ou bien Chrysalde s'amuse d'Arnolphe et se plaît à le provoquer — et il y réussit — par une leçon d'indulgence trop appuyée. En tout cas, on peut douter que Molière ait voulu sérieusement faire de son personnage le porte-parole d'un quelconque message moral. Prendre au pied de la lettre de si médiocres propos, ce serait bien, selon le mot du critique Émile Faguet, faire de Molière le Sancho Pança de la France.

Gardons-nous donc de dégager de ce personnage de *l'École des Femmes* la première mouture d'une prétendue morale de Molière qui n'exprimerait, elle aussi, que les plus médiocres aspirations d'un esprit bourgeois pour lequel il n'éprouvait guère de tendresse : se conformer à l'usage, éviter avec soin toute originalité, refuser tout risque. Passer d'Arnolphe à Chrysalde, n'est-ce pas passer, plus que de l'extravagance à la raison, d'un conformisme à un autre ?...

En choisissant dès sa jeunesse l'état de comédien, alors qu'il pouvait prétendre à la confortable succession bourgeoise de son père, Molière avait, sinon rompu avec le milieu dans lequel il était né, du moins singulièrement pris ses distances. Donc, faire de Chrysalde le représentant d'un certain idéal de Molière ne pourrait que dénaturer le sens général de la pièce. Ajoutons ceci, sur quoi on ne saurait trop insister : Molière n'est pas un doctrinaire, il ne prêche pas, et on le voit mal rejoindre le camp de ceux qu'il n'a de cesse de dénoncer : les pédants sous toutes leurs formes. Le personnage de Chrysalde répondait avant tout pour lui à une nécessité dramatique : servir de repoussoir à Arnolphe en en soulignant les propos.

Certes Molière ne se contente pas de « donner à voir » au moyen d'un spectacle. Il veut donner aussi à penser, à réfléchir. Mais de ce que sa pensée ne se présente pas sous la forme d'un système et d'une doctrine, on ne saurait conclure qu'elle n'a pas un sens et une tendance déterminés. Sa pensée ne se dégage pas de telle ou telle sentence de tel ou tel personnage. C'est la pièce prise dans son ensemble qui seule peut nous indiquer à qui vont ses sympathies et ses préférences.

9 Une pédagogie et une morale de l'amour

Par son titre même, *l'École des Femmes* ne peut manquer d'apparaître comme une œuvre à intention pédagogique, intervenant, rappelons-le, dans le double débat, brûlant à l'époque, de la condition et de l'éducation de la femme. A cette dimension pédagogique ne pouvait manquer alors de s'ajouter une dimension proprement morale.

AGNÈS : UNE NATURE VIERGE

Le personnage d'Agnès peut nous apparaître comme l'objet d'une sorte d'expérimentation pédagogique. Elle est un peu comme ces enfants sauvages dont Lucien Malson a étudié le comportement[1]. Il s'agit de savoir ce qu'il peut advenir d'une fille tenue jusqu'à dix-sept ans dans l'ignorance absolue de la vie et de l'amour. L'éducation arriérée qu'elle a reçue dans son couvent, sous le contrôle attentif de son tuteur, l'a maintenue dans une sorte d'état de nature qui peut faire penser aussi au « bon sauvage » de J.-J. Rousseau. Comme lui, elle semble sans passé, sans histoire, et même sans avenir, puisque son mariage avec Arnolphe ne semble guère propre à la faire évoluer.

Qu'est-elle en effet avant le surgissement d'Horace et l'intervention d'Arnolphe ? Une table rase, une terre vierge. Arnolphe se persuade qu'elle est encore entre ses mains comme une poupée de cire. Elle ne se pose pas de questions, admet fort bien que les enfants se fassent par l'oreille. Au sens le plus exact du terme, elle est

1. Lucien Malson, *Les Enfants sauvages, mythe et réalité*, collection 10/18.

« nature ». Ce qui se manifeste d'abord en elle, c'est une bonté tout instinctive : sa tristesse à la mort de son petit chat ne peut manquer d'être sincère. C'est par la compassion qu'a commencé son amour pour Horace : elle qui « ne peut sans pleurer voir un poulet mourir », comment pourrait-elle, « faute d'assistance », laisser périr un être humain ?

Quel sens peut-elle avoir du mal et du péché, dont Arnolphe essaye de lui présenter une vision atroce et terrifiante ? Elle ne saurait douter d'abord qu'il n'approuve ses réactions spontanées et charitables. Tout est pour elle si simple, si évident : s'il suffit de se marier pour ôter le péché, que cela se fasse aujourd'hui même (avec Horace) !

LA RÉVÉLATION DE L'AMOUR

Il est tout de même une chose qu'elle a déjà apprise de ce dernier, et qu'elle révèle tout bonnement à Arnolphe, sans y entendre malice : c'est le plaisir qu'on éprouve à se laisser « baiser les bras et chatouiller le cœur ». Ce sont bien les caresses, c'est le plaisir physique qui révèlent Agnès à elle-même. Horace est « si bien fait » ! Arnolphe n'est pas le seul à se faire une fête du plaisir charnel. Ce sont d'abord les sens d'Agnès, c'est la puissance de son désir qui vont lui inspirer cette cascade d'initiatives dont son tuteur fera les frais. On aura reconnu là le vieux thème cher à la tradition gauloise, celui du « comment l'esprit vient aux filles ». Minimum de connaissance que le contact charnel peut donner à la plus ignorante : « J'admire quelle joie on goûte à tout cela » (v. 605).

Horace a raison de le souligner à l'adresse du malheureux Arnolphe, au centre même de la pièce : « L'amour est un grand maître » (v. 900). Il est vrai qu'il « donne de l'esprit à la plus innocente » (v. 909). L'expérience amoureuse est d'abord expérience de l'ineffable, et les mots manquent à Agnès pour exprimer ce qu'elle ressent :

Et je ne savais point encor ces choses-là (v. 606)

précise-t-elle. Murée dans son silence docile (quand

Arnolphe lui fait son sermon), elle va bientôt connaître la vertu du langage et en faire, par quelques répliques bien tranchantes, la plus efficace des armes. Arnolphe découvre alors avec ahurissement une « causeuse » qui lui tient tête, en même temps qu'une « raisonneuse », qu'il assimile du coup aux précieuses et autres savantes. Le « pédagogue » responsable d'une si soudaine métamorphose, Arnolphe ne tarde pas à le nommer, c'est Horace :

Il faut qu'on vous ait mise à quelque bonne école. (v. 1497)

C'est de lui que je sais ce que je puis savoir. (v. 1562)

C'est Horace, ou plutôt c'est l'amour, un amour menacé et vigilant, qui a donné à Agnès cet esprit-là. Si les caresses ont éveillé son jeune corps, les amoureux propos ont éveillé son intelligence toute neuve. Elle a conscience qu'on l'a tenue dans l'ignorance de tout, elle ne sait comment s'exprimer, se défie de ses paroles, mais ce qu'elle veut dire à Horace, dans sa lettre, elle le lui signifie en toute netteté et en toute clarté. Le principal grief qu'elle retient, en tout cas, contre Arnolphe est bien celui-là :

Et m'avez fait en tout instruire joliment ! (v. 1555)

A la fin de la pièce, c'est le savoir systématique et doctrinaire d'Arnolphe qui se révèle ignorance, et l'ignorance savoir instinctif. Là aussi, le retournement est complet : les lumières d'Arnolphe le font sombrer dans les ténèbres, alors que, de la nuit où il prétendait l'enfermer, Agnès a émergé à la clarté du savoir.

AGNÈS ET LE PROBLÈME MORAL

Ne craignons pas de le dire : si *l'École des Femmes* n'était guère étudiée en classe jusque dans les années 60, c'est que le personnage d'Agnès semblait encore propre à inquiéter nombre de familles bien-pensantes : Agnès, cette dévergondée, cette petite vicieuse... Il importe de faire ici clairement la distinction. Agnès n'est pas l'ingénue plus ou moins fausse du théâtre traditionnel, portée à la malice et à la ruse, comme la Rosine du

Barbier de Séville. Rien de commun non plus entre elle et la petite sournoise inquiétante qu'est la Louison du *Malade imaginaire*. Elle n'est pas de celles qui, cachant leur jeu, se plaisent à affoler les hommes. En tout cas, pas encore.

Si Agnès peut nous inquiéter, c'est, au contraire, dans la mesure où elle ignore tout du mal. C'est pourquoi, elle fait confiance, elle ne se méfie pas. Sans doute même n'a-t-elle jusque-là rien dissimulé à Arnolphe, mais que lui aurait-elle dissimulé ? Elle semble vouloir ignorer délibérément les dangers auxquels elle s'exposerait si Horace était moins scrupuleux. On dirait même qu'elle met un certain point d'honneur à ne pas être sur ses gardes, à vouloir se donner à lui sans réserve et sans réticence.

Si les initiatives d'Agnès sont de plus en plus audacieuses et risquées, c'est que, pour elle, l'amour est avant tout moyen d'émancipation, instrument de libération. Là est le scandale. C'est, de sa part, ce défi si tranquille de l'instinct qui apparaît le plus scandaleux. C'est dans la mesure où elle ignore le mal que, du même coup, elle le récuse : elle dissipe, comme en se jouant, tous les fantômes et croquemitaines que morale et religion dressent à l'encontre du pur et simple plaisir. Car c'est bien dans ce vers que se résume toute sa « morale » :

> Le moyen de chasser ce qui fait du plaisir ? (v. 1527)

Rien ne saurait prévaloir contre cette morale, ni les menaces de l'enfer, ni les lamentations, ni les supplications : anéanties les illusions de la puissance et de l'autorité ! « Quel mal cela vous peut-il faire ? » demande-t-elle à Arnolphe abasourdi.

Car Agnès n'en veut même pas à Arnolphe, elle n'a pas l'idée de se venger, de le punir (il se punit assez lui-même) : elle ne manifeste pour lui qu'indifférence glaciale. Ce qu'elle oppose à la rigueur des commandements et maximes dont il la menace, c'est sa soif de vivre, son élan naturel vers le bonheur qui ne lui fait trouver aucun mal à suivre son instinct. Elle a conscience d'une seule chose, c'est qu'elle n'a de comptes à rendre à Arnolphe que sur ce qui a trait au ménage : en quoi les visites d'Horace pourraient-elles indisposer Arnolphe, du moment qu'elle continue à lui faire ses cornettes ? Elle lui paie sa pension par son travail et ne le lui envoie pas dire : s'il se croit lésé par son départ, Horace lui rendra tout « jusques au dernier double ».

C'est pour elle une évidence que de rejeter ses absurdes prétentions matrimoniales : s'il s'est fait jusque-là considérer comme un tuteur, voire comme un père, comment pourrait-elle maintenant, sans transition, le traiter en époux ? Le malheur pour Arnolphe, c'est qu'il recoure encore à l'autorité paternelle quand il se propose comme mari. Il n'avait qu'à s'y prendre autrement, se mettre à meilleure école !

Que ne vous êtes-vous comme lui fait aimer ?
Je ne vous en ai pas empêché, que je pense.
(v. 1535-1536)

En voyant souffrir et grimacer Arnolphe, comment se sentirait-elle responsable du mal qu'elle lui fait ? On l'a souvent dit, quel terrible juge que l'innocence !

Tenez, tous vos discours ne me touchent point l'âme.
(v. 1605)

N'est-ce pas ce défi de l'instinct et du plaisir qui a pu faire s'indigner des gens qui, au fond, ne sont pas si éloignés d'Arnolphe ? Tel Meursault de *L'Etranger* de Camus, elle n'a pas besoin de se révolter, de s'insurger contre la morale pour en montrer tranquillement l'inanité, voire la nocivité. Elle est bien déjà la femme-enfant dont le poète André Breton prophétisait la venue « pour en finir avec l'intelligence de type mâle » [1]. « La figure de la femme-enfant dissipe autour d'elle les systèmes les mieux organisés, car rien ne peut faire qu'elle y soit assujettie. Sa complexion désarme toutes les rigueurs, tous les modes de raisonnement dont les hommes sont si fiers : elle fait table rase de tous les principes sur lesquels s'est édifiée égoïstement la psychologie de l'homme. »

1. Dans *Arcane 17*, p. 97 (édition Sagittaire, 1947).

Agnès, la femme-enfant, ne désarme et ne triomphe que parce qu'en elle tout est instinct, non seulement du plaisir, mais surtout du bonheur, et d'un bonheur qui ne saurait, en fin de compte, offenser le bien et la vertu. Molière a su, avec infiniment de délicatesse, nous montrer l'éveil d'une âme à l'amour, au bonheur, à la vie. Éveil dont témoigne en particulier sa lettre à Horace où, à l'inquiet pressentiment d'un plaisir tout neuf, se mêle la réserve d'une âme toute fraîche.

Toujours sage, polie, appliquée à sa tâche, elle se laisse ravir en toute bonne foi par la découverte de l'amour. Et si ce dernier est pour elle moyen d'émancipation, on ne saurait dire qu'il soit incitation à la duplicité. Ce n'est pas par volonté de dissimulation, mais par réserve naturelle qu'Agnès n'a pas révélé spontanément à Arnolphe la visite d'Horace. Tout ce qu'on pourrait imputer en elle à l'hypocrisie est à mettre au seul compte de la légitime défense. Elle apprend non à mentir, mais à se fermer, à échapper à un environnement hostile, à ne pas se troubler si elle est surprise, à profiter du moindre instant où la surveillance se relâche.

Le personnage d'Agnès est une des créations les plus extraordinaires, non seulement de la comédie moliéresque, mais de toute l'histoire du théâtre. Elle n'apparaît que dans quelques scènes, son rôle ne comporte que quelque 150 vers, et pourtant elle occupe toute la pièce, comme elle occupe constamment l'esprit d'Horace et d'Arnolphe. Ni niaise ni dévergondée, ni oie blanche ni ingénue libertine, Agnès, dans son ignorance, est riche de toute sa complexité. Avec elle s'ouvre un monde inépuisable de suggestions délicates et nuancées. Plutôt que vraiment inquiétante, elle est délicieusement troublante.

On peut simplement penser qu'en nous faisant assister à l'éveil de cette âme, Molière a voulu donner naissance à une femme comme il les aimait, saine, instinctive, mais aussi fine, intuitive, ne se trompant pas sur sa destinée de femme. En tout cas, il ne prétendait pas donner de leçon. A la limite, on pourrait dire de cette *École des Femmes* que c'est la pièce la plus antipédagogique qui soit. Agnès est bien le contraire des jeunes lycéennes d'aujourd'hui, si averties de tout. C'est un jeune être en train de se former tout seul, en dehors de toute directive pédagogique et morale, livrée à son seul instinct et à son goût très sûr du bonheur.

QUELLE MORALE DE MOLIÈRE ?

Remarquons d'abord que, si ce « grand maître » qu'est l'amour a éveillé en Agnès un esprit et une âme, il a modifié aussi et enrichi la personnalité d'Horace. Ce qui n'était au début pour lui que dissipation et jeu frivole devient progressivement sentiment sérieux et solide. L'étourdi vaniteux en quête de bonnes fortunes est, par un curieux effet de contagion, converti à son tour à l'amour. Certes, ce qui domine encore en lui, c'est le goût du plaisir :

Et dans la vie, enfin, il se faut contenter. (v. 1423)

Pourtant il aura scrupule à abuser de l'innocence d'Agnès, comme cela lui eût été si facile. Son cœur à lui aussi s'est ouvert au sentiment et à la pureté vraie : « Chose étrange d'aimer », pourrait-il dire en écho à Arnolphe.

Il semble donc qu'à travers Horace comme à travers Agnès Molière ait exprimé avant tout son propre goût du bonheur, son propre élan vers des êtres loyaux et généreux. N'est-ce pas là qu'elle se trouve, la véritable morale de Molière, dans cette sympathie et cette confiance qu'il accorde à l'amour et à la jeunesse ?

C'est au moment où l'instinct du bonheur oppose la jeune fille à son despote que le comique moliéresque touche le plus au drame. Nous frôlons le pathétique devant le tragique d'une destinée compromise par la sottise et l'égoïsme. C'est cet outrage à la vie que Molière pardonne le moins aux détenteurs d'une prétendue morale, destinée avant tout à donner le change à leur médiocrité. Pour lui, ce n'est pas une obéissance aveugle à des commandements fondés sur la menace et la peur qui peut faire découvrir la vertu. Car, peut-on parler de ve sans connaissance véritable du bien et du mal et sans libre consentement ?

Si Molière ne va pas jusqu'à partager le combat des précieuses, il a assez d'estime pour la femme pour refuser de voir en elle un être irresponsable et asservi. Il est même à peu près certain que, dans son esprit, en dépit des fâcheux pronostics d'Arnolphe (et de Louis Jouvet), si Agnès se marie avec Horace, elle ne manquera pas d'être une épouse fidèle et loyale. C'est, au contraire, dans la mesure où elle était traitée en mineure irresponsable qu'elle aurait risqué en tombant sur un autre qu'Horace (Dom Juan, par exemple) de devenir vicieuse et dévergondée.

Pas plus qu'il ne se pose en pédagogue, Molière ne se pose en réformateur du mariage. Simplement, au nom de libertés fondées sur une conception optimiste de la nature humaine, il ne peut que soutenir les aspirations de la femme à se libérer de tout despotisme moral et religieux et à accéder à la vie de l'esprit comme à celle du cœur. Le dernier mot de la morale conjugale n'est-il pas que la confiance encourage la fidélité, alors que la méfiance et la contrainte ne peuvent engendrer que haine et révolte[1] ?

Voilà qui, selon Molière, était conforme tant aux exigences de la vie sociale qu'à celles de la nature. Mais, pas plus qu'une thèse de pédagogie, répétons-le, *l'École des Femmes* n'est un traité de morale. En attendant, qu'il le voulût ou non, Molière, en élevant la comédie au-dessus d'un simple divertissement, introduisait la pratique d'un « théâtre engagé », non certes encore sur le plan politique, mais sur celui de la morale et de la religion.

1. Une telle conception ne peut manquer de faire penser à celle de Rabelais dans son célèbre chapitre de *l'Abbaye de Thélème* (Fay ce que vouldras).

10 Truculence et poésie

Au XVIIe siècle, la hiérarchie des genres littéraires s'accompagnait d'une hiérarchie des styles. Le style noble et sublime était l'apanage de l'épopée, de l'ode et de la tragédie. Au bas de l'échelle, la farce et la satire[1] s'exprimaient en un style plus familier, voire franchement trivial, riche en mots expressifs et images populaires. La comédie cherchait encore sa voie.

LA TRUCULENCE

Les thèmes mêmes de *l'École des Femmes*, directement issus de la veine gauloise des fabliaux du Moyen Age, ne manquaient pas de requérir une certaine truculence de la langue, proche aussi de la veine d'un Rabelais ou d'un La Fontaine (celui des *Contes*). Arnolphe est tout imprégné, dans son langage comme dans ses idées, de ce tour d'esprit railleur et sarcastique : il n'est question dans sa bouche que de cornes, de cocus, de cornards... Il use volontiers d'une langue égrillarde pour évoquer en se pourléchant les plaisirs qu'il tirera de sa jeune pupille : il se l'est « mitonnée » pendant treize ans, il la « bouchonnera, baisera, mangera »... Vocabulaire que l'on trouve plus appuyé encore dans la bouche des domestiques mal dégrossis : l'amitié goulue, le potage de l'homme...

Notons aussi chez Arnolphe l'emploi d'expressions familières comme (avaler) « la pilule », « enlever sur la moustache ». Et le recours, pour désigner Horace et ses

1. Ouvrage en vers fait pour dénoncer et tourner en ridicule les vices et les sottises des hommes ; cf. les satires de Régnier, de Boileau...

semblables, à des termes aussi pittoresques que désobligeants comme « morveux, damoiseau, godelureau » (ce dernier terme n'entrant, selon le *Dictionnaire* de Richelet, que « dans le plus bas style »).

LA POÉSIE

Sur ce fond de verdeur et de truculence, se greffe pourtant la poésie la plus légère et la plus gracieuse. Au conte gaulois se juxtapose en effet le conte de fées de « la belle au balcon cousant ». C'est par Agnès qu'apparaissent dans la pièce grâce, légèreté, poésie. Avec quelle délicatesse du langage Molière a su traduire ses premiers émois et ses premiers élans ! Un tel personnage ne pouvait naître que d'un poète qui rêve encore plus qu'il n'observe : c'est toute la grâce poétique de la femme que Molière semble proclamer dans son propre ravissement de jeune marié.

La première apparition qui nous la laisse entrevoir, « la besogne à la main », peut faire penser à Ronsard ou évoquer l'intimité d'un tableau de Vermeer. A cette vision succède celle qu'elle évoque elle-même (II, 5) : « J'étais sur le balcon à travailler au frais... » Avec quelle grâce elle raconte ensuite son échange de révérences avec Horace, récit qui n'aurait pas manqué d'être comique si le spectateur y avait directement assisté. Et le récit de la première visite de son amoureux : « Si vous saviez comme il était ravi... »

A côté d'Arnolphe, triste oiseau en ses vêtements sombres, Horace est bien l'oiseau du paradis : il n'en a pas seulement le plumage, il en a aussi le ramage. Avec quelle légèreté il exprime son propre ravissement, correspondant à celui d'Agnès ! Certes il n'échappe pas au langage galant de l'époque : Agnès est « un jeune objet, un joli bijou, un astre d'amour »... Mais quelle grâce également dans les trois récits qu'il nous fait de ses rencontres avec Agnès ! Ses couplets enthousiastes sur les « miracles » de l'amour ne sont-ils pas d'un poète, transporté par une telle révélation ? A son tour il l'évoque dans le cadre qui lui sied si bien :

Seule, dans son balcon, j'ai vu paraître Agnès,
Qui des arbres prochains prenait un peu le frais.
(v. 1146-1147)

Indication discrète nous rappelant que c'est la belle saison et que l'ombre des arbres est propice aux émois amoureux.

Quelle poésie enfin dans l'unique et brève rencontre à laquelle il nous soit donné d'assister entre Agnès et Horace (V, 3) ! Dialogue charmant, dans le clair-obscur du jour qui se lève, où chaque réplique remplit exactement un vers, selon le rythme de la stichomythie, qui ne peut manquer de rappeler, chez Corneille, le dialogue de Pauline et de Sévère (*Polyeucte*, II, 2). Et ne croirait-on pas entendre la Bérénice de Racine quand Agnès s'écrie avec une si touchante naïveté ?

Quand je ne vous vois point, je ne suis point joyeuse...
Non, vous ne m'aimez pas autant que je vous aime.
(v. 1465, 1469)

Molière a merveilleusement rendu cette atmosphère subtile, irréelle, qui enveloppe ce duo amoureux et qui peut rappeler le Shakespeare du *Songe d'une nuit d'été*.

LE MÉLANGE DES TONS

Dans la bouche d'Arnolphe, on peut aussi relever des vers qui, pris isolément, évoquent la beauté élégiaque des vers raciniens : « Chose étrange d'aimer... Et c'est mon désespoir et ma peine mortelle... Éloignement fatal, voyage malheureux... » On a vu, il est vrai, que de tels vers, même les plus pathétiques, ne manquaient pas de prendre un relief parodique, surtout confrontés à d'autres, infiniment plus prosaïques.

On pourrait en dire autant du style ample et grave, fait de phrases périodiques[1] dans lequel s'exprime volontiers Arnolphe, à la manière des héros cornéliens :

1. Nom donné à un dialogue où les interlocuteurs se répondent, précisément, vers par vers.

Donnez-moi, tout au moins, pour de tels accidents,
La constance qu'on voit à de certaines gens.

(v. 1006-1007)

Parodique ou non, le sérieux solennel d'un tel ton n'en atteste pas moins la richesse et la diversité du style de Molière. Langage qui sermonne (« Vous devez bénir l'heur de votre destinée »...), qui ordonne (« Je suis maître, je parle... »), mais aussi qui raille (« Eh bien ! Vos amourettes ?...), qui soupire (« Écoute seulement ce soupir amoureux ») ou qui se désespère (« Quoi, l'astre qui s'obstine à me désespérer »...). Quelle richesse de style pour exprimer toute la complexité du personnage ! Et quelle richesse que celle du clavier de Molière, devenu pleinement maître de son art ! Pour ne rien dire de son vers, toujours plein, solide, sans fioriture inutile.

Même le caractère artificiel du dénouement se laisse oublier lorsque Oronte et Chrysalde nous révèlent le secret de la naissance d'Agnès en un duo concerté qui peut suggérer un rythme plaisant de ballet.

On a souvent dit qu'il n'y avait pas de style de Molière, comme il y a, par exemple, un style de Marivaux, de Beaumarchais, de Musset. Cela apparaît déjà pleinement dans son *École des Femmes*. Comme pour ses personnages, on dirait que Molière a laissé la vie créer pour lui. C'est bien, là encore, cet amour de la vie qui, dans sa puissance et ses élans, explosant dans son comique et le portant parfois aux frontières du tragique, donne à *l'École des Femmes* son style original, inimitable, fait de poésie autant que de truculence. C'est peut-être pourquoi, alors que, depuis trois siècles, la société et la langue ont subi une extraordinaire évolution, le style de *l'École des Femmes* n'a pas pris une ride. C'est bien là un des éléments essentiels de la pérennité du théâtre de Molière.

11 Une pièce toujours nouvelle : mise en scène et jeu des acteurs

On a pu remarquer déjà que dans *l'École des Femmes* les paroles et les mouvements des personnages se combinaient à merveille : on a vu l'importance donnée, en particulier, par Molière aux mouvements de ballet, d'une fantaisie tantôt comique, tantôt poétique. C'est pourquoi, comme l'a remarqué Ramon Fernandez[1] : « Lire *l'École des Femmes* sans se représenter la scène, sans jouer mentalement la pièce, revient à lire sans carte un chapitre de géographie. Les mouvements, les rythmes et les mots sont déterminés chez lui par les positions et désignent l'espace de la pièce. »

MOLIÈRE METTEUR EN SCÈNE[2]

Faut-il rappeler, avec le metteur en scène Jacques Copeau, quel étonnant metteur en scène était Molière lui-même : « Interpellant et gourmandant ses acteurs, il tirait tout de lui-même, l'œil et l'oreille à tout, lançant la réplique de son personnage de l'autre extrémité du théâtre, revenant en courant prendre sa place, arrêtant brusquement la tirade sur les lèvres d'un acteur et lui donnant, en la reprenant, son relief et sa saveur[3]. » Non

1. *Vie de Molière*, p. 124.
2. Les termes de *mise en scène* et de *metteur en scène* ne sont nés qu'à la fin du XIXe siècle.
3. Étonnant acteur, cela nous est confirmé par son contemporain Donneau de Visé : « D'un clin d'œil et d'un remuement de tête, Molière faisait concevoir plus de choses que le plus grand acteur ne l'aurait pu dire en une heure. »

moins étonnant directeur de troupe, on peut dire qu'il faisait de la mise en scène comme M. Jourdain faisait de la prose.

Rien n'était laissé à l'improvisation, et tout devait contribuer à produire, dans le spectacle de *l'École des Femmes,* une impression de franche gaieté. Pour ce faire, Molière s'était attribué le rôle essentiel. Quant au rôle d'Agnès, si délicat à tenir, il ne l'avait pas confié à sa jeune femme (il ne devait lui donner un rôle que dans *la Critique*), mais à Catherine de Brie, actrice éprouvée, qui avait passé les trente ans, mais dont il est attesté qu'elle était jolie, bien faite, et surtout gracieuse, avec un grand air de douceur. Elle garda le rôle jusqu'à sa retraite, en 1685, tant elle paraissait la seule personne capable d'incarner le personnage.

L'INTERPRÉTATION ROMANTIQUE

Il ne semble pas que le XVIIIe ni même le XIXe siècle aient beaucoup innové en ce qui concerne la mise en scène et le jeu des acteurs. La tradition moliéresque s'était solidement établie. Toutefois, faire des grandes comédies l'équivalent de tragédies était devenu à l'époque romantique un véritable lieu commun. Comme le personnage d'Alceste, le personnage d'Arnolphe était tiré au noir. On pleurait à Molière, faute d'en rire aux larmes.

L'interprétation pathétique du personnage continua à s'imposer en 1924 à Lucien Guitry qui voyait dans *l'École des Femmes* « du comique entrecoupé de moments de tristesse, ces moments finissant par former une continuité douloureuse qui donnait sa couleur à la pièce ».

L'OPÉRATION JOUVET

Le nom de Louis Jouvet reste attaché à une véritable résurrection de la pièce, en 1936, au théâtre de l'Athénée. On a pu dire qu'il réveilla cette « belle au bois dormant » en lui donnant une parure toute nouvelle. Montée et interprétée par lui, *l'École* connut des centaines de représentations consécutives, un record jamais atteint. Comme acteur, Jouvet savait admirablement faire valoir la complexité du personnage d'Arnolphe : honnête homme et amant ridicule, ami généreux et tyran égoïste, tombant de l'infatuation dans le désespoir, mais un désespoir qu'il exprimait de façon outrée et grotesque.

La mise en scène de Jouvet tenait avant tout à l'originalité des décors de Christian Bérard, qui enchantèrent le public. De l'époque de Molière jusqu'au début du XXe siècle, le décor était réduit à ce carrefour qui permettait de satisfaire à l'unité de lieu, au prix d'un certain nombre d'invraisemblances. Certes, en 1922, la Comédie-Française avait aménagé devant la maison de M. de la Souche un terre-plein où les acteurs venaient jouer les scènes censées se dérouler dans un jardin. Plus tard, à l'Odéon, Firmin Gémier fit de ce terre-plein un jardin suffisamment spacieux. Mais c'est le décor de Christian Bérard qui résolut, de la façon la plus ingénieuse et la plus charmante, les difficultés de l'unité de lieu.

La scène représentait une place bordée de galeries et, au milieu du plateau, se dressait la maison d'Arnolphe avec un jardin triangulaire dont les deux murs s'ouvraient ou se fermaient à volonté selon que l'action se déroulait à l'intérieur ou à l'extérieur. Ce dispositif permit à Jouvet de mettre en action certains récits, afin d'animer davantage une pièce qu'il jugeait parfois un peu statique. Ainsi, c'était sous les yeux du spectateur qu'Agnès jetait le grès sur Horace, que celui-ci disposait l'échelle pour enlever celle-là. A l'acte IV, au cours d'un prélude musical, on voyait Arnolphe marcher avec agitation dans le jardin, monter sur un tabouret, essayer de regarder par-dessus le mur et, n'y parvenant pas, aller chercher l'échelle double qui lui servait à tailler ses arbres. Pour accuser le côté farcesque de la scène avec le notaire, Jouvet avait imaginé de jucher chacun des personnages sur un des deux côtés de l'échelle, afin d'y débiter son soliloque. Au cours de la scène 6, on assistait à une véritable partie de cache-cache entre Arnolphe et Horace sous les arcades. Tous jeux de scène inédits qui soulignaient admirablement le rythme alerte de la pièce.

Surtout, Jouvet avait développé en spectacle la narration des fureurs d'Arnolphe : il allait, venait, courait éperdu, fouillant les tiroirs des meubles avant d'en jeter le contenu par les fenêtres.

De plus, Jouvet avait accordé un soin tout particulier au choix des habits, et le chapeau d'Arnolphe obtint un grand succès. Pour Madeleine Ozeray qui incarnait Agnès, ce devait être d'abord une robe de taffetas couleur aubergine avec une guimpe d'azur léger, comme ses yeux, puis, pour le dernier acte, un grand manteau blanc, ajusté avec une robe de tulle, dont elle se débarrassait : le papillon jetait au vent sa chrysalide.

VARIATIONS AUTOUR DE DEUX RÔLES

• *Arnolphe*

Certains critiques reprochèrent à Jouvet une interprétation par trop grotesque du rôle d'Arnolphe. Pourtant, Fernand Ledoux composa, à son tour, un Arnolphe exclusivement bouffon, gras et luisant, petit-bourgeois plus adipeux que congestif. Une autre interprétation marquante fut celle de Georges Wilson au T.N.P. en avril 1956, qui campa surtout en Arnolphe l'autorité possessive d'un bourgeois cossu.

A travers ces différentes interprétations, on ne peut manquer de remarquer les possibilités de renouvellement à la fois de la pièce et du rôle d'Arnolphe, qui n'a certainement pas fini de tenter nombre de comédiens éprouvés. Pierre Brisson le remarquait justement[1] : « Les traditions les plus contraires peuvent s'établir à son propos. On peut vous offrir un Arnolphe-Harpagon, sur de grandes jambes osseuses, avec le sourcil en broussaille et la bouche mauvaise, un Arnolphe sec, hostile, maugréant, plein de méfiance et de colère crispées. On peut vous offrir un Arnolphe-Boubouroche[2], au teint fleuri, au ventre confortable, un Arnolphe rageur en congestif, penaud devant ses faux calculs et prêt à

1. *Molière,* p. 85, N.R.F., 1942.
2. Personnage de Courteline, dans la pièce du même nom.

s'attendrir pour un rien. Entre les deux pourrait surgir un Arnolphe presque souriant, épicurien, avec, dans les moments de détente, une certaine grâce du badinage. Les variations possibles suffisent à marquer l'évolution du rôle. »

• *Agnès*

Elle n'est pas plus, on l'a vu, l'ingénue du répertoire qu'Arnolphe n'en est le barbon. La complexité du personnage suffit à réfuter cette image simpliste. C'est pourquoi le rôle est d'autant plus difficile à tenir qu'il est moins tranché et plus nuancé. A l'intérieur même de la troupe de Jouvet, Madeleine Ozeray (en 1936) et Dominique Blanchar (en 1951) l'ont incarnée successivement d'une façon fort différente. La première, blonde et pâle, exquise de grâce, de naturel et de pureté, conférait néanmoins au personnage une vie dramatique inégalable : on la sentait animée d'une véritable flamme intérieure. Avec la seconde, brune, plus charnelle, la grâce apparaissait davantage comme une promesse de sensibilité et de sensualité. Son jeu restait comme impersonnel quand elle annonçait la mort de son petit chat, et on la voyait épeler *les Maximes du mariage* avec toute l'application d'une élève du cours élémentaire. Mais, dès qu'Arnolphe levait la main sur elle, avec quelle promptitude elle se défendait du coude et avec quelle détermination claire et péremptoire elle prononçait les mots les plus simples du monde : « Oui, je l'aime. »

On comprend que le rôle d'Agnès constitue presque un examen de passage obligatoire pour les jeunes comédiennes désireuses de faire valoir la fraîcheur de leur âme autant que de leur teint.

La dernière mise en scène ayant retenu l'attention est celle de Jacques Rosner à la Comédie Française en décembre 1983. Nathalie Bécue y interprète le rôle d'Agnès avec beaucoup d'énergie, et Guy Michel celui d'Horace avec finesse et poésie. Quant à Jean Le Poulain, il accentue à plaisir le caractère bouffon et grotesque d'Arnolphe, plus volontiers badin que franchement odieux, et plus ébaubi de ce qui lui arrive que pitoyable victime.

L'INTERVENTION DE L'AUDIOVISUEL

La représentation de Jouvet, avec Dominique Blanchar dans le rôle d'Agnès et Jean Richard dans celui d'Horace, a été enregistrée sur trois disques de la collection de l'*Encyclopédie Sonore*, qui ont obtenu le grand Prix du disque français et celui de l'Académie Charles Cros. Les éclats de rire qui ponctuent les répliques des acteurs nous font aisément imaginer leurs mimiques, en particulier celles d'Arnolphe.

Quant à la télévision, il a fallu attendre mai 1973 pour y découvrir l'adaptation remarquable à laquelle procéda Raymond Rouleau, redonnant une nouvelle jeunesse à la pièce. Simultanément, la Comédie-Française, à l'occasion du tricentenaire de la mort de Molière, donnait *l'École des Femmes* dans une mise en scène de Jean-Paul Roussillon, caractérisée par un extrême dépouillement. Pierre Dux et Michel Aumont y interprétaient en alternance le rôle d'Arnolphe. Interviewé pour *Le Monde,* J.-P. Roussillon déclarait : « Tous les autres personnages sont en arrière, en pastel, ce qui ne veut pas dire qu'ils soient négligés. D'Arnolphe je fais un monstre parce qu'il y a trop de gens qui, au fond, trouveraient son histoire pas si mal. Je veux qu'il lève le cœur. J'exagère peut-être, mais, pour moi, c'est Hitler... Il y a deux pièces dans une : la pièce elle-même, et les monologues intérieurs, comme de gros plans de cinéma... On commence par un Arnolphe pasteur protestant, et on finit par un Arnolphe en chemise, sans perruque, nu. Agnès est une petite fille qui devient femme, Horace un petit biquet qui peu à peu découvre ce qu'est l'amour. »

Surtout, pour le petit écran comme au théâtre, Agnès était merveilleusement incarnée par Isabelle Adjani, jeune actrice de dix-sept ans, qui fut la révélation de l'année. Parfaite de jeunesse, de beauté, de fraîcheur, mais aussi de passion, elle bouleversa des millions de téléspectateurs et, du même coup, les rallia à Molière et à *l'École des Femmes.* A la télévision, on voyait Bernard Blier, apparemment plus bonhomme au début, souffrir bientôt comme un damné. De ce jour en tout cas — le magnétoscope aidant — la pièce faisait son entrée en force dans les lycées.

Au contraire de *Tartuffe*, *l'École des Femmes* n'a pas inspiré les cinéastes. Pourtant cela faillit se faire lorsqu'en 1940 Jouvet rencontra Max Ophuls[1]. Des producteurs suisses s'intéressèrent au projet et le tournage commença à Genève en janvier 1941. Mais Jouvet et sa troupe devaient bientôt faire une longue tournée en Amérique du Sud et Ophuls gagner les États-Unis. La pellicule impressionnée n'a pas été retrouvée. Et après la guerre il n'en fut plus question.

Il est regrettable que ce projet n'ait pas été mené à terme, car *l'École des Femmes* aurait marqué la première tentative de ce theâtre filmé tel que le réalisa Laurence Olivier avec l'*Henri V* de Shakespeare. Aujourd'hui, la télévision a pris le relais du cinéma. Quel dommage qu'elle n'ait pas existé en 1936 pour que survive au moins sur les petits écrans le chef-d'œuvre conjoint de Molière et de Louis Jouvet.

Mais *l'École des Femmes* verra encore de nombreux talents se mettre à son service. Ainsi constamment renouvelée, elle restera bien toujours, et pour tous les publics, la plus jeune des pièces de Molière.

1. Le renom de ce cinéaste, d'origine autrichienne, devait s'affirmer avec *la Ronde* (1950), *le Plaisir* (1952), *Lola Montès* (1955).

Bibliographie

1. Études générales comportant des vues intéressantes sur « l'École des Femmes »

Ouvrage de références indispensable : Antoine Adam, *Histoire de la Littérature française au XVIIe siècle*, éditions Domat, 1948. Le tome 3 est, en grande partie, consacré à Molière.

Ramon FERNANDEZ, *la Vie de Molière*, collection Vies des hommes illustres, Gallimard, 1929 (ouvrage riche en suggestions, en particulier le chapitre 4 consacré à *l'École des Femmes*).

René BENJAMIN, *Molière*, Plon, 1936 (le chapitre 4 propose un commentaire original sur : Arnolphe bourgeois lyonnais).

Pierre BRISSON, *Molière, sa vie dans ses œuvres*, Gallimard, 1942 (le chapitre 5, « la Mêlée décisive », propose une excellente mise au point).

Jacques AUDIBERTI, *Molière*, l'Arche, 1954 (le point de vue original, mais contestable, d'un auteur dramatique).

Maurice DESCOTES, *les Grands Rôles du Théâtre de Molière*, Presses Universitaires de France, 1960 (le chapitre 1 est consacré aux interprétations d'Arnolphe et Agnès).

Jean MEYER, *Molière*, Librairie Académique Perrin, 1963 (le point de vue du comédien et metteur en scène).

M. GUTWIRTH, *Molière ou l'invention comique*, Minard, 1966 (essai suggestif, en particulier sur la femme devant l'amour).

Georges BORDONOVE, *Molière génial et familier*, Robert Laffont, 1967 (intéressant pour la psychologie des personnages).

LAUBREAUX, *Molière*, collection Théâtre de tout temps, Seghers, 1973 (étude du rôle d'Arnolphe).

Pierre GAXOTTE, *Molière*, Flammarion, 1977 (intérêt plus anecdotique, sur le mariage de Molière).

Roger IKOR, *Molière double*, Presses Universitaires de France, 1977 (un long développement consacré aux divers problèmes posés par la pièce).

Gérard Defaux, *Molière ou les métamorphoses du comique*, French Forum Publishers, Lexington, Kentucky, 1980 (un chapitre intéressant sur Chrysalde et les raisonneurs).

Tout récemment, l'ouvrage collectif de professeurs de la Faculté d'Aix, au titre un peu accrocheur, mais très sérieux et bien documenté : *De la pucelle à la minette, la jeune fille, de l'Age classique à nos jours.* Éditions Temps Actuel, 1983.

2. Monographie

Jacques Arnavon, *l'École des Femmes de Molière*, Plon, 1936 (étude détaillée du décor, de la mise en scène et de l'interprétation).

3. Articles de revues

Henry Becque, *Molière et l'École des Femmes* (conférence parue dans la *Revue Bleue*, avril 1886, et recueillie dans les Œuvres complètes, tome 7, Crès, 1924).

L'actrice Béatrice Dussane a fait aussi une conférence sur *Jouvet et l'École des Femmes* (recueillie dans les *Annales*, avril 1939).

Albert Thibaudet, *le Rire de Molière, la Revue de Paris*, avril 1922 (article souvent cité, s'appuyant sur les théories de Bergson dans *le Rire*).

J.-D. Hubert, *l'École des Femmes, tragédie burlesque ? Revue des Sciences Humaines*, janvier 1960 (la dégradation burlesque de la souffrance interdit toute pitié envers Arnolphe).

Serge Doubrovsky, *Arnolphe ou la Chute du héros, Mercure de France*, septembre 1961 (le comique de la pièce se fonde sur le rejet des valeurs héroïques exaltées par Corneille).

Bernard Magné, *l'École des Femmes ou la conquête de la parole, Revue des Sciences Humaines*, janvier 1972 (Arnolphe et Agnès ou l'impossible dialogue. Agnès accède à la prise de conscience par la prise de parole).

Raymond Picard, *Molière comique ou tragique ? Le cas d'Arnolphe, Revue d'Histoire littéraire de la France*, septembre 1972 (l'univers de la pièce est celui de la farce, et Arnolphe provoque surtout un rire vengeur).

A ces articles il convient d'ajouter le numéro spécial de la revue *Europe* consacré en 1961 au *Jeune Molière* et qui contient plusieurs articles concernant *l'École des Femmes*.